T'es branché? 1

Workbook

Avec la collaboration de

Jacques Pécheur

ST. PAUL

Editorial Director: Alejandro Vargas
Developmental Editor: Diana I. Moen
Associate Editor: Nathalie Gaillot
Production Editor: Sarah Kearin
Cover Design: Leslie Anderson
Design and Production Specialist: Valerie King
Illustrations: S4Carlisle Publishing Services; Alonzo Design/iStockphoto (p. 237)
Copy Editor/Proofreader: Jamie Gleich Bryant

Differentiated Learning: Some of the activities in Level 1 *T'es Branché?* Workbook are marked with an **A** to indicate basic activities, or a **B**, to indicated advanced activities for vocabulary and grammar practice. The activities based on the culture section are not differentiated in this way.

ISBN 978-0-82195-984-8

875 Montreal Way
St. Paul, MN 55102
Email: educate@emcp.com
Website: www.emcp.com

Printed in the United States of America

21 20 19 18 17 16 15 6 7 8 9 10

CONTENTS

Nom: ______________________________ Date: ______________

Unité 1: Bonjour, tout le monde!

Leçon A

1A Based on the level of formality needed to address the following people, write **Bonjour!** or **Salut!** next to each name.

1. Madame Lucas: ______________________________
2. Léo: ______________________________
3. Sophie: ______________________________
4. Monsieur Lucas: ______________________________
5. Bruno et Karim: ______________________________
6. Malika: ______________________________
7. Monsieur et Madame Rousset: ______________________________
8. Madame Tortevoie: ______________________________

2A Write an appropriate greeting for each of the following people.

Modèle Monsieur Édouard, your chemistry teacher
Bonjour, monsieur!

1. your best friend ______________________________
2. a woman to whom you are being introduced ______________________________
3. your uncle ______________________________
4. your cousins Malia and Roger ______________________________
5. Alex, a new student at school ______________________________
6. Mademoiselle Aimée, who works at your favorite shopping mall

   ____
7. a teen you met on the subway yesterday ______________________________

Nom: ______________________ Date: ____________

3A Answer each of the following questions in three different ways. Follow the **Modèle**.

MODÈLE Tu t'appelles comment? (*Myriam*)
Je m'appelle Myriam.
Je suis Myriam.
Moi, c'est Myriam.

1. Tu t'appelles comment? (*Anaïs*)

____

____

____

2. Tu t'appelles comment? (*Lucas*)

____

____

____

3. Tu t'appelles comment? (*Rahina*)

____

____

____

4. Tu t'appelles comment? (*Émilie*)

____

____

____

5. Tu t'appelles comment? (*Lamine*)

____

____

____

6. Et toi, tu t'appelles comment?

____

____

____

4A Introduce the following people, using the correct expressions from the list below.

mon camarade de classe   ma camarade de classe   mon copain   ma copine

MODÈLES Kelly, your classmate
C'est **ma camarade de classe.**

Darren, your friend
C'est **mon copain.**

1. Adriana, your friend

C'est ______________________.

2. John, your classmate

C'est ______________________.

3. Natalie, your friend

C'est ______________________.

4. Henry, your friend

C'est ______________________.

5. Paul, your classmate

C'est ______________________.

6. Alissa, your classmate

C'est ______________________.

Nom: ______________________________ Date: ______________

5B Write sentences to introduce one friend and one classmate of each gender.

Modèle **Daniel, c'est mon camarade de classe.**

____

____

____

____

6B Complete the following sentences with the appropriate missing words.

1. Je m' ______________ Jérémie.
2. Moi, c'______________ Timéo.
3. Je ______________ Sabrina.
4. ______________ Saniyya.
5. C'______________ Virginie.
6. Je te ______________ Amir.
7. Moi, je m'______________ Sarah.

7A Complete the sentences by writing the nationalities of the following people. Follow the **Modèle**.

Modèle Patrick est français, Patricia est **française.**

1. Pierre-Louis est canadien, Jeanne est ______________________.
2. Aïcha est algérienne, Amir est ______________________.
3. Jesse est américain, Keita est ______________________.
4. Jean est américaine, Julian est ______________________.
5. Mégane est française, David est ______________________.
6. Talia est canadienne, Aiden est ______________________.
7. Karim est algérien, Karima est ______________________.
8. Cédric est français, Océane est ______________________.

Nom: ______________________________ Date: ______________

8A Match each illustration to the appropriate dialogue.

A

B

C

D

______ 1. - Charlotte, je suis canadienne.
- Moi c'est Lilou, je suis française.

______ 2. - Allô, Coralie, c'est Khaled!
- Salut, Khaled!

______ 3. - Pierre, je te présente Madame Lucas.
- Enchanté.

______ 4. - Tu t'appelles comment?
- Moi, c'est Antoine.

9B Respond to the following situations in French.

1. Tu t'appelles comment?

____

2. Je te présente Coralie.

____

3. Tu t'appelles Awa?

____

4. C'est Evenye, ma camarade de classe.

____

5. Tu es français, ou française?

____

6. Comment allez-vous?

____

7. Je suis algérien, et toi?

____

Nom: ______________________________ Date: ______________

10B Use the information in each paragraph to complete the ID card below it.

1. Bonjour, je m'appelle Monsieur Laberge, mon prénom c'est Damien. Je suis du Canada, de Montréal. Je suis né (*born*) en 1958.

CARTE D'IDENTITÉ

Nom: ______________________

Prénom: ______________________

Sexe (*gender*): ______________________

Date de naissance (*birth date*): ______________________

Nationalité (*nationality*): ______________________

2. Salut! Comment ça va? Moi c'est Rosalie, Rosalie Jacquin. Ça va très bien! Je suis de Paris. Je suis née (*born*) en 2001.

CARTE D'IDENTITÉ

Nom: ______________________

Prénom: ______________________

Sexe (*gender*): ______________________

Date de naissance (*birth date*): ______________________

Nationalité (*nationality*): ______________________

3. Allô? Monsieur Duvalier? C'est Félix Atalier d'Algérie. Je suis né en 1988.

CARTE D'IDENTITÉ

Nom: ______________________

Prénom: ______________________

Sexe (*gender*): ______________________

Date de naissance (*birth date*): ______________________

Nationalité (*nationality*): ______________________

4. Oui? Jacqueline? C'est Ariana, Ariana Dupont, de Minneapolis. Je suis née en 2000.

CARTE D'IDENTITÉ

Nom: ______________________

Prénom: ______________________

Sexe (*gender*): ______________________

Date de naissance (*birth date*): ______________________

Nationalité (*nationality*): ______________________

11 Complete the following activities in English according to the **Points de départ** in **Leçon A**.

1. Go online and look up French first names. Can you find a French equivalent of your name?

____

2. Find three first names that are exactly the same in English as in French.

______________________ ______________________ ______________________

3. Find three French first names that do not exist in English.

______________________ ______________________ ______________________

Nom: ______________________________ Date: ______________

Leçon B

12A Based on the level of formality required for each conversation, write **Au revoir!** or **Salut!**

1. M. George à Mme Dumarais: ______________________
2. Maxime à Mathias: ______________________
3. Le professeur à Paul: ______________________
4. Paul au professeur: ______________________
5. Yasmine à Tom: ______________________
6. Maxime à Mme Charlebois: ______________________

13A Say how each person is doing, according to the illustrations.

1. Anaïs

2. Paul

3. M. et Mme Dubois

4. Alexandre

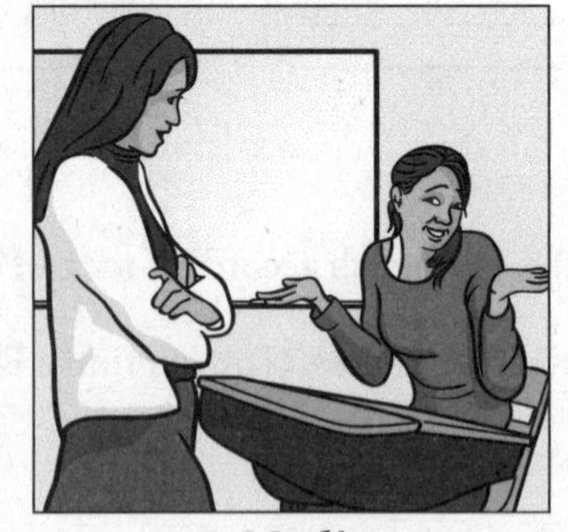

5. Marlène

6. Sophia et Karima

1. ______________ 2. ______________ 3. ______________

4. ______________ 5. ______________ 6. ______________

Nom: ______________________________ Date: ______________

14B Use the following expressions to complete each of the conversations below.

Tu vas bien? Comment allez-vous? Ça va? Et toi? Comment tu vas? Et vous?

1. ______________________
   - Oui, ça va.
2. ______________________ Madame?
   - Je vais bien. Merci.
3. ______________________
   - Pas mal!
4. - Salut Moussa, ______________________
   - Comme-ci, comme-ça!
5. ______________________ monsieur Grand?
   - Pas trop mal, merci.
6. ______________________, Amélie?
   - Ça va, merci.

15A Circle the word or expression which does not belong.

1. A. Madame
   B. Salut!
   C. Ça va?
   D. Et toi?
2. A. Mademoiselle Labec
   B. Madame Bérard
   C. Monsieur Lenoir
   D. Sarah
3. A. Pas très bien.
   B. Très bien.
   C. À demain!
   D. Comme-ci, comme-ça.
4. A. toi
   B. un garçon
   C. une fille
   D. un camarade de classe

16B Create logical sentences by placing the elements in the correct order.

1. vas / Salut / bien / tu / , / ?

   ____

2. comme ci / Ça / comme ça / va / , / .

   ____

3. allez / Madame / bien / Bonjour / vous / , / ?

   ____

4. tu / comment / Salut / vas / , / ?

   ____

5. merci / trop / Pas / mal / , / .

   ____

Nom: ____________________ Date: ____________

17 Complete the following activity according to the **Points de départ** in **Leçon B**.

Download a map of Europe and locate four European countries where French is spoken. Indicate the official language of the country, as well as other languages that are spoken there.

____

____

____

____

____

____

____

____

18 Give the English definition for each of the following words. Refer to the **Points de départ** in **Leçon B**.

1. la rentrée ____________________
2. un cartable ____________________
3. une langue d'ouverture ____________________
4. la francophonie ____________________

Nom: ______________________________ Date: ____________

Leçon C

19A Write each word from the list in the correct category.

le cinéma   le centre commercial   le café   la fête   la maison

Les lieux de loisirs *(places where you spend your free time)*	**Les lieux de consommation** *(places where you buy things)*

20A Say where you go, according to the illustrations.

1. On va ______________. 2. On va ______________.

3. On va ______________. 4. On va ______________. 5. On va ______________.

Nom: ______________________________ Date: ______________

21B Rearrange the following sentences to create a coherent dialogue.

Pas possible. Je dois faire mes devoirs.

On va au centre commercial?

Ça va bien, merci. Et toi?

Je vais mal.

Salut Marc, ça va?

1. ______________________________
2. ______________________________
3. ______________________________
4. ______________________________
5. ______________________________

22A Complete the following sentences with **peux**, **veux**, or **dois**.

1. On va au centre commercial?

   Non, je __________ aider ma mère.

2. On va au café?

   Oui, je __________ bien.

3. On va au cinéma?

   Oui, je __________.

4. Tu viens à la fête?

   Non, je ne __________ pas.

5. Tu voudrais aller au lycée?

   Non, je __________ faire les devoirs.

6. Tu veux aller à la maison?

   D'accord, je __________ bien.

Nom: ______________________________ Date: ______________

23B How would you respond to the following people?

Modèle Your father asks you to help him fix the car.
Oui, je veux bien.

1. Your best friend invites you to the movies.

____

2. A stranger asks you to have coffee with him.

____

3. A boy or girl that your best friend likes invites you to a party without your best friend.

____

4. Your sister asks you to take her to the mall.

____

5. A student in your French class asks for your help with homework.

____

24 Find French websites that are popular among French teenagers by typing **sites pour ados** into your search engine. Which sites are most popular? Choose one and browse it thoroughly. Is it similar to any American website(s) that you know? Explain.

____

____

____

____

____

____

____

____

____

Nom: ____ Date: ________________

25 Refer to the **Points de départ** in **Leçon C** to correct the following statements.

MODÈLE Martinique is located in the Indian Ocean.
Martinique is located in the Caribbean.

1. Martinique and Guadeloupe are African countries.

____

2. People speak Malinké and Peul in Martinique and Guadeloupe.

____

3. Aimé Césaire is an African musician and singer.

____

4. **La Guyane française** is a sub-Saharan country near the Democratic Republic of the Congo.

____

5. **La Guyane française** is best known for its ecotourism.

____

Nom: ______________________________ Date: ______________

Unité 2: Les passe-temps

Leçon A

1A Categorize each of the following activities as a sports activity (**activité sportive**) or a social activity (**activité sociale**).

faire du ski alpin	aller au cinéma	nager	faire du vélo
faire du patinage	faire du shopping	faire du roller	aller au café
sortir avec mes amis	manger des frites		

Activités sportives: **Activités sociales:**

______________________ ______________________

______________________ ______________________

______________________ ______________________

______________________ ______________________

______________________ ______________________

2A Complete each of the following responses by adding a phrase using **J'aime...** or **Je n'aime pas....**

1. Tu aimes faire du shopping? Oui, ______________________
2. Tu aimes faire du vélo? Non, ______________________
3. Tu aimes jouer au basket? Non, ______________________
4. Tu aimes aller au cinéma? Oui, ______________________
5. Tu aimes faire du footing? Oui, ______________________
6. Tu aimes jouer au foot? Non, ______________________
7. Tu aimes plonger? Oui, ______________________
8. Tu aimes faire du patinage artistique? Non, ______________________

Nom: ______________________________ Date: ______________

3A Describe the weather conditions based on each of the sentences below.

MODÈLE Your dad is putting on his raincoat.
Il fait mauvais.

1. You grab your umbrella.

 ____

2. Your sister is wearing boots.

 ____

3. Your friends are playing outside.

 ____

4. The sun is bright in your room.

 ____

5. You hear thunder.

 ____

6. Your family is going on a picnic.

 ____

4B The calendar below tells you what the weather will be like each day this week. Tell your friend the forecast for the following days, as well as an activity you would like to do on that day.

MODÈLE lundi
Lundi, il fait mauvais. Je voudrais aller au café.

1. mardi

 ____

2. mercredi

 ____

3. jeudi

 ____

4. vendredi

 ____

5. samedi

 ____

6. dimanche

 ____

Nom: ______________________________ Date: ______________

5B Use the following sentences to ask people questions about what they like to do. Follow the **modèles**.

Modèles J'aime faire du shopping. (*ma copine*)
Qu'est-ce que tu aimes faire?
Tu aimes faire du shopping?

J'aime faire du footing. (*monsieur Dubois*)
Qu'est-ce que vous aimez faire?
Vous aimez faire du footing?

1. J'aime jouer au foot. (*mon père*)

____

____

2. J'aime faire du footing le dimanche. (*madame Rousset*)

____

____

3. J'aime manger des pâtes. (*mon copain*)

____

____

4. J'aime aller au centre commercial le mercredi. (*ma mère*)

____

____

5. J'aime faire les devoirs à la maison. (*ma camarade de classe*)

____

____

6. J'aime manger de la pizza au café le dimanche. (*monsieur Xavier*)

____

____

7. J'aime faire de la gym le lundi, mardi, mercredi, jeudi, vendredi, samedi, et dimanche. (*mademoiselle Langue*)

____

____

Nom: ______________________________ Date: ____________

6B Answer the following questions.

1. Tu voudrais faire du patinage artistique avec ton camarade de classe?

____

____

2. Tu veux faire du ski samedi?

____

____

3. Qu'est-ce que tu aimes faire le dimanche?

____

____

4. Il fait beau. Tu voudrais faire du shopping avec ton copain ou ta copine?

____

____

5. C'est vendredi. Tu voudrais manger une pizza au café?

____

____

6. C'est mardi. Tu voudrais jouer au hockey sur glace?

____

____

7. Tu veux faire de la gym avec ton père?

____

____

Nom: ________________________________ Date: ________________

7 Refer to the **Points de départ** in **Leçon A** to complete the following activities.

1. Conduct online research to create a profile of **Pari Roller**. Find out what it consists of and who participates, as well as when and to whom it is open. Summarize your research in the space below.

2. Use an online search engine to find out when, where, and in what events French professional athletes have earned medals at the Olympic games over the last two years.

Nom: ______________________________ Date: ______________

8 Go online and research three of the following Parisian cultural points. Find three facts about each one. Use the questions below to help you think of interesting information to research.

A. Paris **arrondissements** (What are they? How many are there? Which are the most famous?)

B. The **Seine** river (How big is it? Where is it located? Can you swim in it?)

C. **La tour Eiffel** (How tall is it? What is it made of? When was it built? By whom? Why?)

D. **Le centre Pompidou** (When was it created? What is in it? Who was Pompidou?)

E. **La Grande Arche de la Défense** (What is that? Why is it called that? Is it a military project?)

F. **Le musée du Louvre** (When was it built? What's in there? How many tourists visit it each year?)

G. **Le musée d'Orsay** (When was it built? What's in there? Why would you (not) like to visit it?)

H. **Notre-Dame** (When was it built? What does it look like inside?)

I. **L'arc de Triomphe** (What is it? Where is it located? What does it look like?)

J. **Les Champs-Élysées** (What is it? What does the name mean?)

K. **La Place des Vosges** (Where is it? What is it? What can you do there?)

L. **Les Tuileries** (What is it? Who had it built? Why was it built?)

M. **Les jardins du Luxembourg** (Why does it have a foreign name? What is there to do or see there?)

1. ______________________________

____

____

2. ______________________________

____

____

3. ______________________________

____

____

Nom: ____ Date: ________________

9A Circle the subject pronoun in each of the following sentences.

1. Papa et moi, nous désirons jouer aux jeux vidéo.
2. Maman, elle préfère faire de la gymnastique.
3. Toi et Gisèle, vous allez au café.
4. Toi, tu veux aller au cinéma avec moi?
5. Je veux voir un film au cinéma.
6. On va au parc?
7. Nous aimons jouer au tennis.

10A Complete each of the following sentences by writing the correct pronoun in the space provided.

1. Caroline, ____________ aime faire du shopping.
2. Martin et Karim, ____________ aiment aller au cinéma.
3. Monsieur Abraham, comment allez-____________?
4. ____________ m'appelle Isabelle.
5. Mme Romain et Mlle Carreau, ____________ aiment manger de la pizza.
6. ____________ va au centre commercial?
7. ____________ aimes faire du roller avec moi?

Nom: ______________________________ Date: ______________

11A Based on the sentences below, indicate whether you should use **tu** or **vous** to address each person or group of people.

1. Salut, ça va?

   ____

2. Bonjour monsieur!

   ____

3. Irène et Amélie, on va au café dimanche?

   ____

4. Paul et Angèle, c'est mon père!

   ____

5. Non madame Martin, je dois aider ma copine.

   ____

6. Oui, je veux bien, Farid.

   ____

7. Allô? Monsieur et madame Abdou?

   ____

12A Complete the following sentences with the correct infinitive from the list below.

faire les devoirs	manger des pâtes	sortir avec mes amis	faire du shopping
faire du footing	manger des frites	plonger	jouer au hockey

1. J'aime ______________________ à la piscine.
2. Je n'aime pas ______________________ et manger une pizza.
3. Il fait mauvais. J'aime ______________________ au centre commercial.
4. Il fait beau. J'aime ______________________.
5. Tu aimes ______________________ à la maison?
6. Monsieur Albert, vous aimez ______________________ et un hamburger?
7. J'aime ______________________, Angie et Fred.
8. Nous aimons ______________________ en hiver.

Nom: ______________________________ Date: ____________

13A Say what the following people are doing, according to the illustrations.

MODÈLE

Florence

Florence, **elle mange des pâtes.**

1. David et Hugo

2. toi et moi

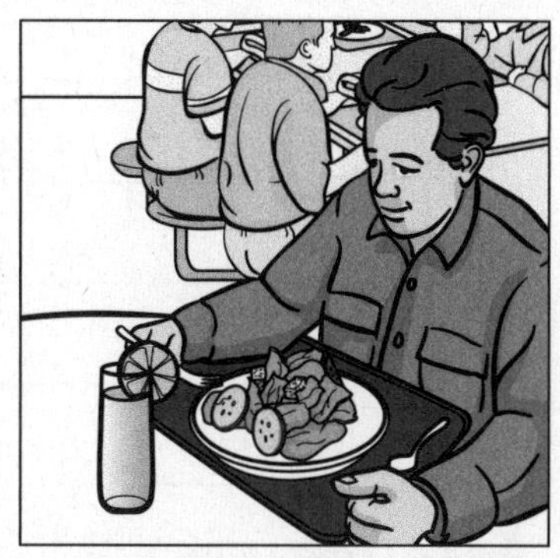

3. M. Alain

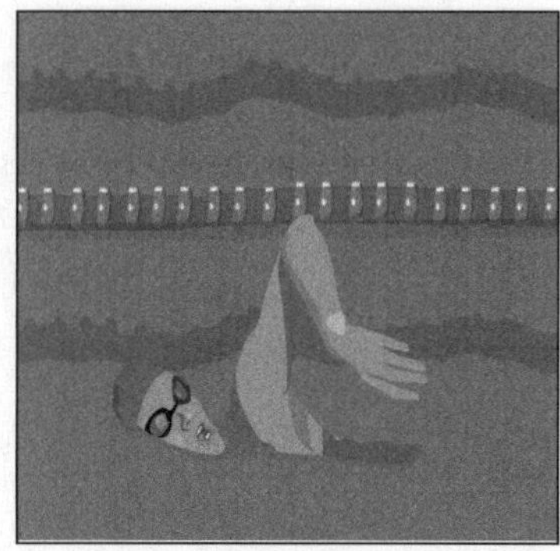

4. moi

5. toi

6. Marie

1. David et Hugo, ______________________________
2. Toi et moi, ______________________________
3. M. Alain, ______________________________
4. Moi, ______________________________
5. Toi, ______________________________
6. Marie, ______________________________

Nom: ______________________________ Date: ______________

14A Complete each of the following sentences with the correct form of the appropriate verb from the list.

manger jouer désirer aimer nager plonger s'appeler présenter

1. Tu ______________ au foot le lundi. (*jouer*)
2. Vous ______________ à la piscine le mardi. (*nager*)
3. Il fait mauvais. On ______________ sortir avec les amis. (*désirer*)
4. Jennifer, elle ______________ au hockey sur glace. (*jouer*)
5. Je te ______________ Delphine. (*présenter*)
6. Nous te ______________ Monica. (*présenter*)
7. Il ______________ Gaïtan. (*s'appeler*)
8. Monsieur et Madame Lutin, ils ______________ une salade? (*désirer*)

15B Answer affirmatively to each of the following questions, making sure to use the correct form of the verb.

1. Tu manges de la salade à la maison?

   ____

2. Malick et Antoine, ils aiment les frites?

   ____

3. Madame Durand, elle nage à la piscine?

   ____

4. Tu aimes faire du ski alpin?

   ____

5. Tu manges de la pizza le samedi?

   ____

6. Bernard et Salima, vous désirez une salade?

   ____

7. Alex, on joue au foot?

   ____

Nom: ______________________________ Date: ______________

16B You made a new friend on your favorite social networking site. As you read a message from him, you notice that some words have been replaced with random symbols. To figure out the message, replace the symbols with the most logical word or verb form.

Salut,

Je m'(1) #### Karim. Je (2) **** algérien et j'(3) @@@@ au Canada. J' (4) !@!% jouer au foot, (5) #### du sport, et (6) &&&& avec des copains. Nous (7) %$%$ au basket, et nous (8) *^*^ aller au cinéma. Et (9) ^^^^? Tu (10) //// aller au (11) #@#* avec nous?

(12) ++++
Karim

1. ______________ 7. ______________

2. ______________ 8. ______________

3. ______________ 9. ______________

4. ______________ 10. ______________

5. ______________ 11. ______________

6. ______________ 12. ______________

Nom: ____ Date: ____________________

Leçon B

17A Match the words from the column on the left with the words from the column on the right.

1. un texto — A. jouer
2. sur Internet — B. écrire
3. un lecteur MP3 — C. regarder
4. un livre de français — D. envoyer
5. aux jeux vidéo — E. surfer
6. la télévision — F. lire
7. un portable — G. écouter
8. sur ordinateur — H. téléphoner

18B Your friend sent you a text message about his new girlfriend, but parts of it were accidentally deleted. Fill in the missing words below.

Salut! Ça va? Tu joues (1) ________________________ ou tu regardes (2) ________________________? Ma copine s'appelle Naomie. Elle aime surfer (3) ________________________ et écouter (4) ________________________. Elle n'aime pas (5) ________________________ un livre et (6) ________________________ pour la classe de français. Elle n'aime pas faire (7) ________________________, les pâtes, la salade. Elle aime (8) ________________________ des textos.

Nom: ______________________________ Date: ______________

19A Fill out the speech bubbles with **j'aime un peu**, **j'aime bien**, **j'aime beaucoup**, or **je n'aime pas**, according to the illustrations.

1. 

2. 

3. 

4. 

5. 

6. 

Nom: ______________________________ Date: ______________

20B Answer the following questions in French.

1. Tu aimes écouter un CD?

____

2. Ton prof de gym, il aime faire la cuisine?

____

3. Ta camarade de classe, elle aime faire du sport?

____

4. Tes amis et toi, vous aimez surfer sur Internet?

____

5. Tu aimes téléphoner?

____

6. Tu joues aux jeux vidéo?

____

7. Madame ____________________[1] aime envoyer des textos?

____

8. Monsieur ____________________[2] aime regarder la télé?

____

[1]Your last name here.
[2]Your last name here.

Nom: ______________________________ Date: ______________

21B Send a text message to a French friend you met online through your school. Say two things you and your family do, two things you like to do a lot or a little, and one thing you do not like to do at all. Then, ask your friend three questions about his or her habits and what he or she likes and dislikes.

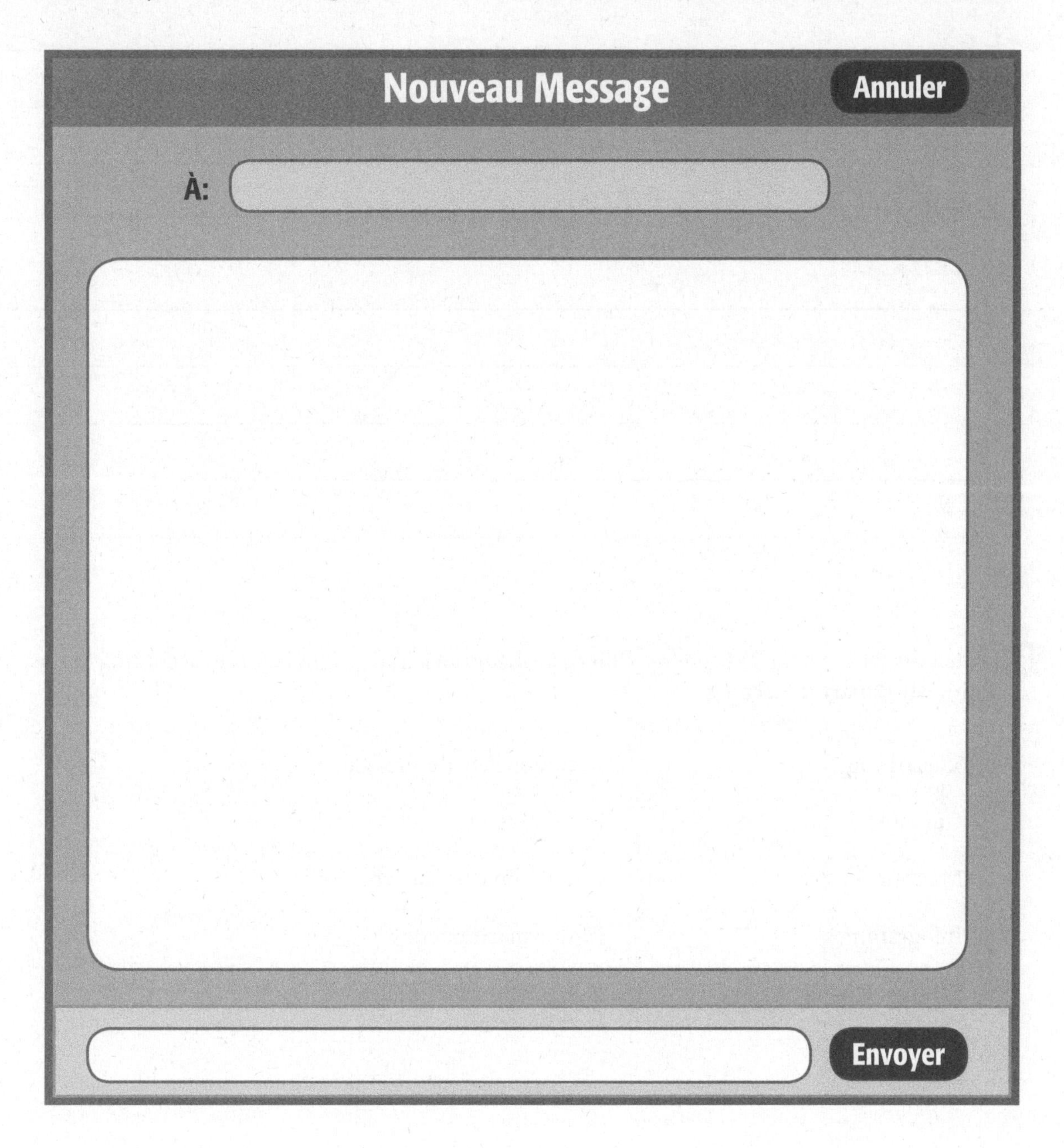

Nom: ______________________________ Date: ______________

22 Refer to the **Points de départ** in **Leçon B** to complete the following activities.

1. Go online to find out what events will take place on the Rhône or on the Saône in Lyon this year.

____

____

____

2. Find a restaurant in Lyon that is famous for its local cuisine. Download a menu and explain which dishes or ingredients are native to the region.

____

____

____

____

____

23B Match the terms in the left column with their definitions in the right column, according to the **Points de départ** in **Leçon B**.

1. Vieux Lyon	A. une société de jeux vidéo
2. Guignol	B. un festival
3. Mancala	C. un nom de quartier
4. Infogrammes	D. une marionnette
5. Fête des Lumières	E. un jeu traditionnel

Nom: ______________________________ Date: ______________

24A You are having technical difficulties with your favorite social networking website. In the message you are about to send your friend Malika, all adverbs of value have been replaced with the corresponding mathematical sign. Replace the signs with the correct adverb before sending your message.

Salut Malika,

J'aime (1) ++ écouter de la musique et j'aime (2) +++ faire du sport. Aussi, j'aime (3) + manger des pâtes, mais j'aime (4) ++ envoyer des textos à mes amis. Quand il fait beau, j'aime (5) + faire la cuisine. Mon camarade de classe aime (6) +++ surfer sur Internet pendant la classe d'anglais. Aïe, aïe aïe! Moi, j'aime (7) ++ écrire. Et toi, tu aimes (8) + écrire?

Biz
Rose

1. ______________________
2. ______________________
3. ______________________
4. ______________________
5. ______________________
6. ______________________
7. ______________________
8. ______________________

25B Create logical sentences by placing the elements in the correct order.

1. beaucoup / de la musique / Nous / écouter / aimons / .

   ____

2. écrire / aimes / Tu / un peu / ?

   ____

3. des textos / Oui, / bien / envoyer / à mes amis / j'aime / .

   ____

4. et / Khaled / aiment / surfer sur Internet / Rahina / un peu / .

   ____

5. dimanche / faire la cuisine / beaucoup / aimez / Vous / ?

   ____

6. envoyer / Sébastien / un texto / bien / à Myriam / aime / .

   ____

Nom: ______________________________ Date: ______________

26B Your classmate is running for class president. You decide to support him or her by writing a short article for the school website. In your article, include your classmate's name, nationality, two things he or she likes a little, one thing he or she likes, three things he or she likes a lot, and one thing he or she does not like at all. Write your article in French.

Nom: ______________________ Date: ____________

Leçon C

27A Write the corresponding digit next to each spelled-out number below.

1. zéro ____________
2. quatorze ____________
3. seize ____________
4. huit ____________
5. dix-huit ____________
6. dix ____________
7. neuf ____________
8. douze ____________
9. deux ____________
10. dix-neuf ____________

28A Write out the following phone numbers in letters.

1. 01.18.04.17.16

____

____

2. 02.19.20.11.10

____

____

3. 06.03.01.02.15

____

____

4. 09.15.14.08.07

____

____

5. 02.12.13.18.05

____

____

Nom: ____ Date: ________________

29A Answer the following questions. Use complete sentences.

1. Tu préfères le foot ou le basketball?

   ____

2. Tu préfères le roller ou le shopping?

   ____

3. Tu préfères le cinéma ou le footing?

   ____

4. Tu préfères le rock ou le hip-hop?

   ____

5. Tu préfères la world ou la musique alternative?

   ____

6. Tu préfères le shopping ou le cinéma?

   ____

7. Tu préfères le foot ou le footing?

   ____

8. Tu préfères la télévision ou le cinéma?

   ____

Nom: ______________________________ Date: ______________

30B Answer the following questions.

1. Tu aimes bien faire la cuisine?

____

2. Tes (*your*) amis et toi, vous aimez le cinéma, ou vous préférez surfer sur Internet?

____

3. Ton ou ta camarade de classe, il ou elle préfère envoyer des textos ou étudier?

____

4. Qu'est-ce que tu aimes bien faire?

____

5. Qu'est-ce que tes amis et toi, vous n'aimez pas faire?

____

6. Tes amis préfèrent écouter de la musique ou lire un livre?

____

31 The following statements may contain errors. Write **vrai** if the underlined part is true and **faux** if it is false. If it is false, correct that segment. Refer to the **Points de départ** in **Leçon C**.

1. Rachid Taha plays world music. ______________________
2. World music started in Algeria in the 1990s. ______________________
3. South America has influenced world music. ______________________
4. The name *Taha* means the king of pop in Arabic. ______________________
5. Rachid Taha's band was called Douce France. ______________________
6. Rachid Taha sings about traditional values. ______________________

32 Use the **Points de départ** in **Leçon C** to research the significance of the following dates, numbers, and nouns.

1. June 21

    ____

2. 2005

    ____

3. Carte de séjour

    ____

4. 110

    ____

5. 340

    ____

6. Francofolies

    ____

7. 5 millions

    ____

8. Montreal

    ____

Nom: ____ Date: ________________

33A Fill in the missing article before each noun. When using **l'**, indicate the gender by writing (**le**) or (**la**) afterwards.

1. __________ hip hop
2. __________ cinéma
3. __________ musique
4. __________ ami
5. __________ télé
6. __________ ordinateur
7. __________ salade
8. __________ rock
9. __________ world
10. __________ shopping

34A Fill in the blanks using the correct form of the verb **préférer**.

MODÈLE Jeanne **préfère** nager.

1. Nous ________________________ jouer au foot.
2. Tu ________________________ faire du roller?
3. Amina ________________________ manger des frites.
4. M. et Mme Lazzize, ils ________________________ aller au cinéma.
5. Moi, je ________________________ aller au parc.
6. Sophie et Malika, elles ________________________ écouter la musique alternative.
7. On ________________________ parler français.
8. Vous ________________________ manger à la maison?

Nom: ______________________________ Date: ______________

35B Say what the following persons prefer, based on the illustrations.

1. Maylis

2. vous

3. M. et Mme Moen

4. tu

5. nous

6. Max

7. Bruno et Jade

1. ______________________________

2. ______________________________

3. ______________________________

4. ______________________________

5. ______________________________

6. ______________________________

7. ______________________________

Nom: ______________________________ Date: ______________

36B You have been asked out on a date. Before you accept, write a list of eight questions to ask your potential date about what he or she likes, dislikes, and prefers, to see if you have anything in common. Use the verb **préférer** at least five times.

1. ______________________________
2. ______________________________
3. ______________________________
4. ______________________________
5. ______________________________
6. ______________________________
7. ______________________________
8. ______________________________

37A Write the following sentences in the negative form using **ne… pas**.

Modèle Nous jouons au basket.
Nous ne jouons pas au basket.

1. Olivier aime faire la cuisine.

____

2. Sarah mange avec Bertrand.

____

3. Nous aimons plonger.

____

4. Moussa joue au hockey.

____

5. Saniyya et Raphaël aiment surfer sur Internet.

____

6. Tu joues au foot mardi.

____

Nom: ______________________________ Date: ______________

38B You and a partner are writing a play for your theater class. Your partner has given you a summary of the one he or she wants to write, but you have totally different ideas. Negate every idea below and make a new suggestion. Use the negative when you can, and then add a different phrase.

MODÈLES Elle s'appelle Charlotte.
Elle ne s'appelle pas Charlotte. Elle s'appelle Nicole.

Elle préfère le hockey sur glace.
Elle ne préfère pas le hockey sur glace. Elle préfère la musique alternative.

(1) Elle s'appelle Rahina et (2) il s'appelle Jean-Paul. (3) Ils sont américains. (4) Rahina aime un peu le rock et (5) Jean-Paul aime beaucoup le ski. (6) Ils préfèrent faire du shopping le dimanche. (7) Rahina aime envoyer des textos. (8) Elle veut écouter un CD. (9) Jean-Paul préfère aller au cinéma. (10) Jean-Paul aime un peu Rahina.

1. ______________________________
2. ______________________________
3. ______________________________
4. ______________________________
5. ______________________________
6. ______________________________
7. ______________________________
8. ______________________________
9. ______________________________
10. ______________________________

Nom: ______________________________ Date: ______________

39B Write a paragraph about yourself: Who are you? What do you like and dislike? Write a minimum of eight sentences. Below are some topics you may want to include.

- your favorite music
- something you love to do
- something you hate to do
- your two favorite sports
- something you do a little
- something you do a lot
- something you and your best friend like to do
- a sport you play on a certain day of the week
- what you do when it is nice outside
- what you do when it is not nice outside

____

____

____

____

____

____

____

____

____

____

____

____

____

____

____

Nom: ______________________________ Date: ______________

Unité 3: À l'école

Leçon A

1A Read each statement about the illustration below. Circle **VRAI** if the statement is true and **FAUX** if it is false.

1. Le tableau est devant le bureau. VRAI FAUX
2. L'ordinateur portable est sur le bureau. VRAI FAUX
3. Les deux tables sont derrière le bureau. VRAI FAUX
4. Le sac à dos est sous la chaise. VRAI FAUX
5. Le DVD est dans le sac à dos. VRAI FAUX
6. Le livre de français est avec le cahier. VRAI FAUX
7. Les stylos, les crayons, et le taille-crayon sont dans la trousse. VRAI FAUX
8. Le dictionnaire français-anglais est avec trois feuilles de papier. VRAI FAUX

Nom: ______________________________ Date: ______________

2B Describe five objects on your desk using **sur**, **sous**, **devant**, **derrière**, **dans**, and **avec**.

____

____

____

____

____

3A Write the name of each of the objects below in the correct category in the chart.

1. fournitures scolaires *(school supplies)*	**2. matériel audiovisuel** *(audiovisual equipment)*	**3. mobilier de la classe** *(classroom furniture)*

Nom: ______________________________ Date: ______________

4A Complete the sentences below with a logical vocabulary word based on meaning.

1. J'ai trois stylos dans ma ____________________.
2. Le prof de français a un grand ____________________.
3. Il y a un ordinateur sur ____________________.
4. J'ai besoin d'____________________ pour mon crayon.
5. Le cédérom est dans ____________________.
6. J'aime écouter de la musique avec ____________________.
7. ____________________ coûte 501,40€.

5B Write a short e-mail to your friend describing what there is in your French classroom. Mention at least six objects.

De:
À:
Objet:

Bonjour, ____________________

Ton ami(e), ____________________

Nom: ______________________________ Date: ______________

11 Answer the following questions in English, according to the **Points de départ** in **Leçon A.**

1. What do French students do when they cannot afford to buy their school supplies?

____

____

2. Do French students have to purchase their high-school textbooks?

____

____

3. When did the euro enter in circulation in France?

____

____

4. Which euro coins or bills, and how many of each, could you use to pay for a stereo that costs 42,80€?

____

____

5. How are euro coins different from euro bills?

____

____

6. What kind of new services are now offered by businesses in France?

____

____

7. Name two types of online services offered by French schools.

____

____

Nom: ______________________________ Date: ______________

12 Go online and, using the keyword **Carrefour**, find six different school supplies you would like to purchase. On the lines below, write the name of each school supply and how much it costs.

1. ______________________________
2. ______________________________
3. ______________________________
4. ______________________________
5. ______________________________
6. ______________________________

13A Complete the following sentences by filling in the correct indefinite article.

1. J'ai besoin d'____________ sac à dos.
2. Il y a ____________ trousse sur la table.
3. J'achète ____________ dictionnaire à Carrefour.
4. Il y a ____________ pendule et ____________ carte dans la salle de classe.
5. Le stylo est sur ____________ feuille de papier.
6. J'aime écouter de la musique avec ____________ stéréo.
7. Sur la table, il y a ____________ ordinateur et ____________ taille-crayon.

Nom: ______________________________ Date: ______________

14A For each item below, change the definite article to an indefinite article.

Modèle le stylo
un stylo

1. l'affiche ______________________________
2. le sac à dos ______________________________
3. la stéréo ______________________________
4. la pendule ______________________________
5. le lecteur de DVD ______________________________
6. la carte ______________________________
7. la table ______________________________
8. la fenêtre ______________________________

15B Complete the following sentences by filling in the correct article. Use the definite article with **aimer** and **préférer**, and the indefinite article with **c'est** and **il y a**.

Modèles J'aime **le** taille-crayon.
C'est **une** trousse.

1. C'est ____________ ordinateur portable.
2. Tu aimes ____________ sac à dos?
3. C'est ____________ chaise.
4. Il n'aime pas ____________ affiche du film.
5. C'est ____________ dictionnaire de français.
6. Nous préférons ____________ DVD.
7. Oui, il y a ____________ stéréo derrière le bureau.
8. Il y a ____________ tableau dans la salle de classe?

Nom: ______________________________ Date: ______________

16A Write the plural of each of the following nouns.

Modèle une fenêtre
des fenêtres

1. un stylo ____________________
2. le livre de classe ____________________
3. l'affiche de cinéma ____________________
4. un crayon ____________________
5. un DVD ____________________
6. le cahier de classe ____________________
7. une feuille de papier ____________________

17B Rewrite the following sentences using the plural articles instead of the singular. Don't forget to make the nouns plural as well.

Modèle Patrick a <u>une trousse</u>.
Patrick a des trousses.

1. Il y a <u>une pendule</u> dans la classe de français.

____

2. La salle de classe a <u>une porte</u>.

____

3. J'aime <u>le sac à dos</u> de Raoul.

____

4. Le prof de gym a <u>un lecteur MP3</u>.

____

5. Je préfère <u>l'affiche</u> dans la classe de français.

____

6. Il y a <u>une fenêtre</u> dans la classe d'anglais.

____

Nom: ______________________________ Date: ______________

18A Complete the answers to the following questions using the correct form of **avoir**.

1. M. Robert a besoin d'une table?

   Oui, il ______________________________

2. Tu as besoin d'un DVD?

   Oui, j' ______________________________

3. Vous avez un dictionnaire de français?

   Oui, nous ______________________________

4. Les élèves ont des cahiers?

   Oui, ils ______________________________

5. Nous avons des livres dans la classe?

   Oui, vous ______________________________

6. Tu as des CD de musique française?

   Oui, j' ______________________________

7. Les profs ont un ordinateur?

   Oui, ils ______________________________

8. Mathieu a des CD de musique française?

   Oui, il ______________________________

Nom: ______________________________ Date: ______________

19B Write complete sentences using the verb **avoir**.

Modèle Amina et Gaëlle/un sac à dos
Amina et Gaëlle ont un sac à dos.

1. Jean/une affiche de film
____
2. Vous/des DVD
____
3. Je/un taille-crayon
____
4. Maxime et Rachid/des livres scolaires
____
5. Nous/une feuille de papier
____
6. Tu/trois crayons
____
7. On/un lecteur de DVD
____
8. Les élèves/des lecteurs MP3
____

Nom: ______________________________ Date: ______________

20A Say what the following persons need, using **avoir besoin de.**

Modèle

Lilou

Lilou a besoin d'un stylo.

1. Farid

2. je

3. Greg et Bill

4. le prof

5. Jeanne et Géraldine

1. ______________________________

2. ______________________________

3. ______________________________

4. ______________________________

5. ______________________________

Nom: ______________________________ Date: ______________

21B Write six sentences describing what people in your class have and what they need. Use the verb **avoir** and the expression **avoir besoin de**. You must use at least four different pronouns.

Nom: ______________________________ Date: ______________

Leçon B

22A Draw lines to connect the disciplines in the left column with the corresponding associations in the right column.

1. la biologie	A. "mi amigo"
2. l'anglais	B. Pierre-Auguste Renoir
3. les arts plastiques	C. C.S. Lewis
4. les mathématiques	D. Michael Jackson
5. l'histoire	E. $ax^2 + bx + c = 0$
6. l'espagnol	F. "je ne sais quoi"
7. le français	G. "Guten Tag"
8. l'informatique	H. Bill Gates
9. la chimie	I. les plantes
10. la musique	J. 1939–1945
11. l'allemand	K. H_2O

Nom: ______________________________ Date: ______________

23B Write the name of the discipline, based on each of the following descriptions.

Modèle Nous écoutons la world.
la musique

1. Le prof a une carte de Paris. ______________________________
2. Dans mon sac à dos, j'ai un dictionnaire. ______________________________
3. Mon livre s'appelle *Aventura*. ______________________________
4. Vingt huit + trente = cinquante-huit ______________________________
5. Dans la classe, il y a une carte de Berlin. ______________________________
6. Nous aimons Picasso et Rodin. ______________________________
7. Il y a un ordinateur sur la table. ______________________________
8. Je ne skie pas, mais je joue au basket. ______________________________
9. On étudie Abraham Lincoln. ______________________________

24A Match the clocks with the written times.

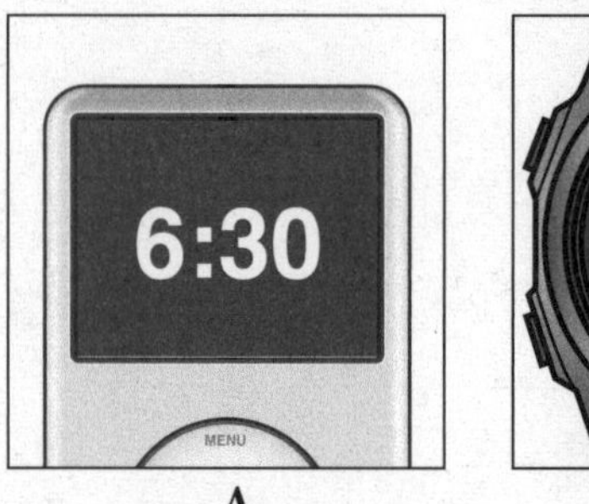

A

B

C

D

E

F

______ 1. Il est minuit.

______ 2. Il est cinq heures et quart.

______ 3. Il est six heures et demie.

______ 4. Il est deux heures moins le quart.

______ 5. Il est midi.

______ 6. Il est dix heures et demie.

Nom: ______________________________ Date: ______________

25A Write a complete sentence to say what time it is.

Modèle 

Il est minuit.

1. ______________________________

2. ______________________________

3. ______________________________

4. ______________________________

5. ______________________________

6. ______________________________

Nom: ______________________________ Date: ______________

26B Transform the following A.M. times into P.M. times using **l'heure officielle**.

MODÈLE 4h25
16h25

1. 2h30 ____________
2. 5h00 ____________
3. 8h15 ____________
4. 2h10 ____________
5. 1h45 ____________
6. 3h20 ____________
7. 12h00 ____________
8. 11h26 ____________

27A Complete the following sentences with the correct adjective from the list.

difficile intéressant facile drôle intelligent énergique

1. Pour moi, la biologie est ____________; j'aime ça!
2. Ha ha ha, ton copain est très ____________.
3. Albert Einstein est un homme ____________.
4. J'aime le sport, je suis très ____________.
5. Bien, c'est ____________!
6. Ahmed n'aime pas l'histoire, pour lui c'est ____________.

Nom: ______________________________ Date: ______________

28B Answer the following questions in French. Write complete sentences.

1. Comment est ton cours de français?

____

2. Tu étudies l'allemand dans la classe de français?

____

3. Tu as combien de cours de sciences?

____

4. À quelle heure tu as le cours de musique?

____

5. Tu vas à l'école le samedi à onze heures?

____

6. Tu manges à quelle heure?

____

29 In your opinion, what are three differences and three similarities between French schools and American schools? Refer to the **Points de départ** in **Leçon B**.

Similarities

1. ______________________________
2. ______________________________
3. ______________________________

Differences

1. ______________________________
2. ______________________________
3. ______________________________

Nom: ______________________________ Date: ______________

30 Write the English definition for each of the following French words.

1. le collège ______________________________

2. le bac ______________________________

3. le lycée ______________________________

31 Choose the correct answer, based on the information in the **Points de départ** in **Leçon B**.

1. Un **toere** est…
   A. un bateau.
   B. un instrument de musique.
   C. un cours de lycée.

2. Un **pareo** est…
   A. un vêtement.
   B. une décoration corporelle.
   C. un prof de collège.

3. Un **brevet** est…
   A. un examen médical.
   B. un examen de lycée.
   C. un examen de collège.

4. Name a famous **lycée** in Martinique.
   A. Le lycée Gauguin
   B. Le lycée Monet
   C. Le lycée Schoelcher

32A Spell out each of the following times.

Modèle 14h15
Il est quatorze heures quinze.

1. 7h00 ______________________________

2. 9h25 ______________________________

3. 10h35 ______________________________

4. 7h30 ______________________________

5. 00h15 ______________________________

6. 1h00 ______________________________

Nom: ______________________________ Date: ______________

33B Write a complete sentence to answer each of the questions below. Spell out the suggested times in letters.

Modèle On a chimie à quelle heure? (*11h30*)
On a chimie à onze heures et demie.

1. Tu as cours à quelle heure? (*8h15*)

   ____

2. Nous avons EPS à quelle heure? (*18h30*)

   ____

3. On a biologie à quelle heure? (*14h00*)

   ____

4. On va au café à quelle heure? (*20h15*)

   ____

5. On va à la teuf à quelle heure? (*10h15*)

   ____

6. Rachid écoute la musique au concert à quelle heure? (*24h00*)

   ____

7. Maman regarde la télévision à la maison à quelle heure? (*11h00*)

   ____

8. On va au centre commercial à quelle heure? (*13h00*)

   ____

Nom: ______________________________ Date: ______________

34A Complete each sentence with the correct form of the verb **être**.

1. Nous __________ américains.
2. Ella __________ étudiante.
3. L'école Schoelcher __________ intéressante.
4. Vous __________ anglais, n'est-ce pas?
5. Les élèves de Mme Moen, ils __________ énergiques.
6. Les filles, elles __________ strictes.
7. Tu __________ française?
8. Je __________ algérien.

35A Write the adjectives below next to the nouns they agree with. There may be more than one adjective that agrees with each noun. Write all that apply gramatically and logically.

intelligent	drôle	intéressantes	énergiques
drôles	difficiles	intéressante	intelligente

1. les garçons __________
2. Mme Chantal __________
3. Abdel __________
4. les sciences physiques __________
5. toi __________
6. les filles __________
7. la biologie __________
8. le président des États-Unis __________

Nom: ______________________ Date: ____________

36A Based on the gender and number of each subject below, write the correct forms of the adjectives in parentheses.

1. Khaled (*algérien, drôle, intelligent*)

   ____

2. Nathalie (*énergique, français, intéressant*)

   ____

3. Les matières de l'école (*facile, anglais, français*)

   ____

4. Le prof d'anglais (*enchanté, strict, intelligent*)

   ____

5. Les copains de Jacques (*algérien, drôle, énergique*)

   ____

6. Des pendules (*drôle, algérien, intéressant*)

   ____

Nom: ______________________________ Date: ______________

37B Answer the following questions using the adjective in parentheses. Remember to make the gender of the adjective agree with the gender of the noun.

Modèle Le professeur de maths, il est comment? (*intéressant*)
Il est intéressant.

1. Le prof de biologie, il est comment? (*drôle*)

____

2. La prof d'arts plastiques, elle est comment? (*intelligent*)

____

3. La prof d'histoire, elle est comment? (*strict*)

____

4. Ta copine, elle est comment? (*intéressant*)

____

5. Ta prof de chimie, elle est comment? (*top*)

____

6. Ton copain, il est comment? (*génial*)

____

7. Ton prof d'allemand, il est comment? (*énergique*)

____

38B Write a sentence to describe the following people. Use at least two adjectives in each sentence.

1. ton prof de physique

____

2. Paris Hilton

____

3. Le président des États-Unis

____

4. Justin Bieber

____

Nom: ______________________________ Date: ______________

39B Complete Yasmine's profile on her favorite social networking site. Then create your own.

Nom	Yasmine
Âge	J'ai 16 ______________.
Tout sur moi	Je suis (*génial, strict, sérieux*) ______________.
Nationalité	Je suis (*français*) ______________ et (*algérien*) ______________.
Musique préférée	J'aime bien la musique (*canadien*) ______________ et les films (*américain*) ______________.
Cours préféré	J'aime les arts plastiques, mais les sciences physiques sont (*intéressant*) ______________.

Nom	
Âge	
Tout sur moi	
Nationalité	
Musique préférée	
Cours préféré	

Nom: ______________________________ Date: ______________

Leçon C

40A Match each of the following places with the corresponding activity.

1. la médiathèque	A. manger
2. le magasin	B. lire
3. le stade	C. acheter des cahiers, etc.
4. la salle d'informatique	D. faire du sport
5. la teuf	E. nager
6. la piscine	F. regarder la télé
7. la cantine	G. sortir
8. chez moi	H. étudier sur l'ordinateur

41A Read the names of the places below. Then, write the name of the place in the **loisirs** column (if it pertains to hobbies) or the **école** column (if it pertains to school).

le magasin la piscine le laboratoire de physique la ville
la médiathèque le parc le bureau du proviseur la salle d'informatique
le café le centre commercial le cinéma

loisirs	école

Nom: ______________________________ Date: ______________

42A Complete the following sentences with the correct preposition. Choose **au, à la, à l', aux, en,** or **chez**.

1. Je vais ____________ piscine.
2. Je vais ____________ café.
3. Je vais ____________ médiathèque.
4. Je vais ____________ stade.
5. Je vais ____________ cantine.
6. Je vais ____________ ville.
7. Je vais ____________ moi.
8. Je vais ____________ centre commercial.

43B Say what the following people are doing and where they are doing it, according to the illustrations.

Modèle  **Ils mangent une pizza au restaurant.**

1.

2.

3.

4.

5.

6.

7.

1. ______________________________
2. ______________________________
3. ______________________________
4. ______________________________
5. ______________________________
6. ______________________________
7. ______________________________

Nom: ______________________________ Date: ______________

44A Write a question for each of the following answers using **quand**, **où**, or **pourquoi**. Follow the **modèle**.

Modèle On va au café.
On va où?

1. Delphine étudie à la médiathèque à onze heures.

____

2. J'aime beaucoup l'histoire parce que le prof est drôle.

____

3. On va à la cantine parce qu'on a faim.

____

4. Toi et John, vous avez arts plastiques à midi?

____

5. Les profs sont à la cantine.

____

6. Nous sommes à la salle d'informatique parce que nous avons des devoirs.

____

7. Mon père et ma mère désirent aller au cinéma à vingt heures trente.

____

8. Ma camarade de classe adore nager à la piscine.

____

Nom: ______________________________ Date: ______________

45B Write a question for each of the following answers using **quand**, **où**, or **pourquoi**.

1. Après le déjeuner, j'étudie à la salle informatique.

 ____

2. On va au ciné à 18h00.

 ____

3. Je ne peux pas aller à la piscine parce que je dois aller chez ma mère.

 ____

4. Après le cours de physique, j'ai anglais.

 ____

5. Après le dîner, je veux sortir avec mes amis.

 ____

6. Je ne veux pas téléphoner parce que je préfère surfer sur Internet.

 ____

7. Je préfère faire du sport au stade du lycée.

 ____

8. Je vais à la piscine vers midi.

 ____

Nom: ______________________________ Date: ______________

46B Answer the following questions in French.

1. Qu'est-ce que tu voudrais faire samedi?

____

2. À quelle heure tu vas au cinéma avec tes amis?

____

3. Tu fais tes devoirs à la médiathèque ou chez toi?

____

4. Qu'est-ce que tu achètes en ville?

____

5. Tu manges à la cantine à l'école?

____

6. Où est-ce que tu préfères manger?

____

7. Où est-ce que tu fais du sport?

____

47 Describe the following items on a French cafeteria menu in English. Refer to the **Points de départ** in **Leçon C**.

1. pâté en croûte ______________________________
2. quiche ______________________________
3. bœuf bourguignon ______________________________
4. escalope de poulet à la strogonoff ______________________________
5. escalope de bœuf ______________________________

Nom: ______________________________ Date: ______________

48 Find four similarities and four differences between French and American school lunches. Refer to the **Points de départ** in **Leçon C**. You may also conduct additional research.

Similarities

1. ______________________________

____

2. ______________________________

____

3. ______________________________

____

4. ______________________________

____

Differences

1. ______________________________

____

2. ______________________________

____

3. ______________________________

____

4. ______________________________

____

Nom: ______________________________ Date: ______________

49 Look at the menu from the **Lycée Jeanne d'Arc** on p. 143 of your textbook. Write down the names of dishes that fall into each of the categories below. Include as many dishes as you can.

1. meats:

____

____

2. fish:

____

____

3. vegetables:

____

____

____

____

4. fruits:

____

____

5. pastries:

____

____

6. dairy:

____

____

Nom: ______________________________ Date: ______________

50A Complete the following sentences using the correct form of the verb **aller**.

1. Tu ________________ bien?
2. Comment ________________-vous, monsieur Grincheux?
3. Je ________________ à la maison.
4. Aline ________________ au cinéma.
5. Nous ________________ en ville dimanche.
6. Les élèves ________________ comme-ci, comme-ça.

51B Say where the following people go to do the activities mentioned.

Modèle Awa et Pascale mangent.
Elles vont au restaurant.

1. Albert nage.

____

2. Nous achetons des cahiers.

____

3. Tu regardes un film d'horreur.

____

4. Les garçons jouent au foot.

____

5. Je bois un café.

____

6. Le prof de français mange un gratin dauphinois.

____

7. Vous faites du roller.

____

8. On étudie en classe de maths.

____

Nom: ______________________________ Date: ______________

52A Based on the illustrations below, say where people go and at what time.

MODÈLE 

11h30

Ils vont au parc à onze heures et demie.

1. 13h25

2. 9h15

3. 12h30

4. 18h45

5. 23h00

6. 12h00

1. ______________________________

2. ______________________________

3. ______________________________

4. ______________________________

5. ______________________________

6. ______________________________

Nom: ____ Date: ______________

53B Detective Poireau needs to solve the case of who stole the class chemistry experiment last Monday at 3:00 P.M. For each suspect listed below, create a sentence using the verb **aller** to explain where the suspect was at the time of the crime and whether or not he or she has an alibi.

MODÈLE Marc, **il va au cinéma avec moi.**

1. Kelly, ____
2. Peter, ____
3. Mes amis et moi, ____
4. Tes amis et toi, ____
5. La prof de biologie, ____
6. Stephen, ____
7. Takeita, ____
8. Toi, ____
9. Moi, ____

54A Write **à la**, **au**, or **aux**.

1. Vous allez ___________ salle d'informatique?
2. Non, on va ___________ parc.
3. Tu vas ___________ labo?
4. Non, je vais ___________ piscine.
5. Elles vont ___________ centre commercial?
6. Non, elles vont ___________ médiathèque.
7. Il va ___________ Jeux Olympiques?
8. Non, il va jouer ___________ jeux vidéo.

Nom: ______________________________ Date: ____________

55A Rewrite each sentence below to include the place where the action takes place.

Modèle Tu manges.
Tu manges à la cantine.

1. Je fais mes devoirs.

____

2. Mes amis jouent au volley-ball.

____

3. Ma mère aime faire du shopping.

____

4. Nous allons voir un film.

____

5. Mon père regarde la télévision.

____

6. Je téléphone à Rachid.

____

7. Tu écoutes de la musique.

____

8. Vous travaillez sur l'ordinateur.

____

Nom: ______________________________ Date: ______________

56B Damien is looking for his friends. He calls them all on his cell phone to ask where they are. Complete the speech bubbles in the illustrations.

MODÈLE

1.

2.

3.

4.

5.

6.

Nom: ______________________________ Date: ______________

57B Write an e-mail to your friend in Switzerland explaining your daily or weekly routine. Tell him or her where you go on a school day and where you go on weekends. Also include the time at which you have certain classes and do certain things. Write a minimum of seven sentences.

De:
À:
Objet:

Nom: ______________________________ Date: ______________

58A Based on the answers to the questions below, fill in the missing interrogative words.

1. - ______________________ tu aimes faire du roller?

   - Oui, j'adore ça!

2. - ______________________ nous allons manger?

   - Au restaurant américain.

3. - ______________________ Matthieu va à la médiathèque?

   - Pour étudier.

4. - ______________________ vous allez au cinéma?

   - Avec mes copains du lycée.

5. - ______________________ tu as cours d'allemand?

   - Lundi et mercredi.

6. - ______________________ nous allons faire du shopping?

   - Samedi après-midi.

7. - ______________________ Mme Rimbaud n'achète pas le livre?

   - Il coûte 50€.

8. - ______________________ je fais mes devoirs?

   - Chez moi.

Nom: ______________________________ Date: ______________

59B You arrive late to class and hear your classmates asking each other questions about Khaled, a new student. Based on the answers below, fill in the missing questions using **est-ce qu(e)**, **où est-ce qu(e)**, **quand est-ce qu(e)**, **avec qui est-ce qu(e)**, or **pourquoi est-ce qu(e)**.

1. ______________________________

   Oui, Khaled est français.

2. ______________________________

   Oui, il aime nager.

3. ______________________________

   Il étudie au lycée Pasteur.

4. ______________________________

   Il étudie avec Maxime et Pierre.

5. ______________________________

   Il va au lycée de 8h00 à midi et de 14h00 à 17h00.

6. ______________________________

   Non, le samedi il ne va pas au lycée, il reste chez lui.

7. ______________________________

   Il mange au restaurant parce qu'il aime la cuisine algérienne.

8. ______________________________

   Il reste à la maison pour aider sa mère.

Nom: ______________________________ Date: ______________

60B You met someone whom you think could become a new friend, but first you need to get to know him or her better. Prepare eight questions to ask that person about his or her likes and dislikes, what school life is like, and with whom he or she hangs out. Use at least four different interrogative expressions.

1. ______________________________
2. ______________________________
3. ______________________________
4. ______________________________
5. ______________________________
6. ______________________________
7. ______________________________
8. ______________________________

61B Unfortunately, someone has told your best friend Eric that his girlfriend, Marie-Pierre, is seeing someone new. Eric is going on vacation for the week with his parents. In his absence, he asked you to record Marie-Pierre's whereabouts to help him find out if the rumors he heard are unfounded or based on facts. For each day of the week, write what Marie-Pierre does, where she goes, who she is with, and at what time.

MODÈLE Lundi, **elle nage à la piscine avec son amie Jeanne à midi.**

1. Mardi, ______________________________
2. Mercredi, ______________________________
3. Jeudi, ______________________________
4. Vendredi, ______________________________
5. Samedi, ______________________________
6. Dimanche, ______________________________

Nom: ______________________________ Date: ______________

Unité 4: Le weekend ensemble

Leçon A

1A Identify the following images, using vocabulary from **Leçon A**.

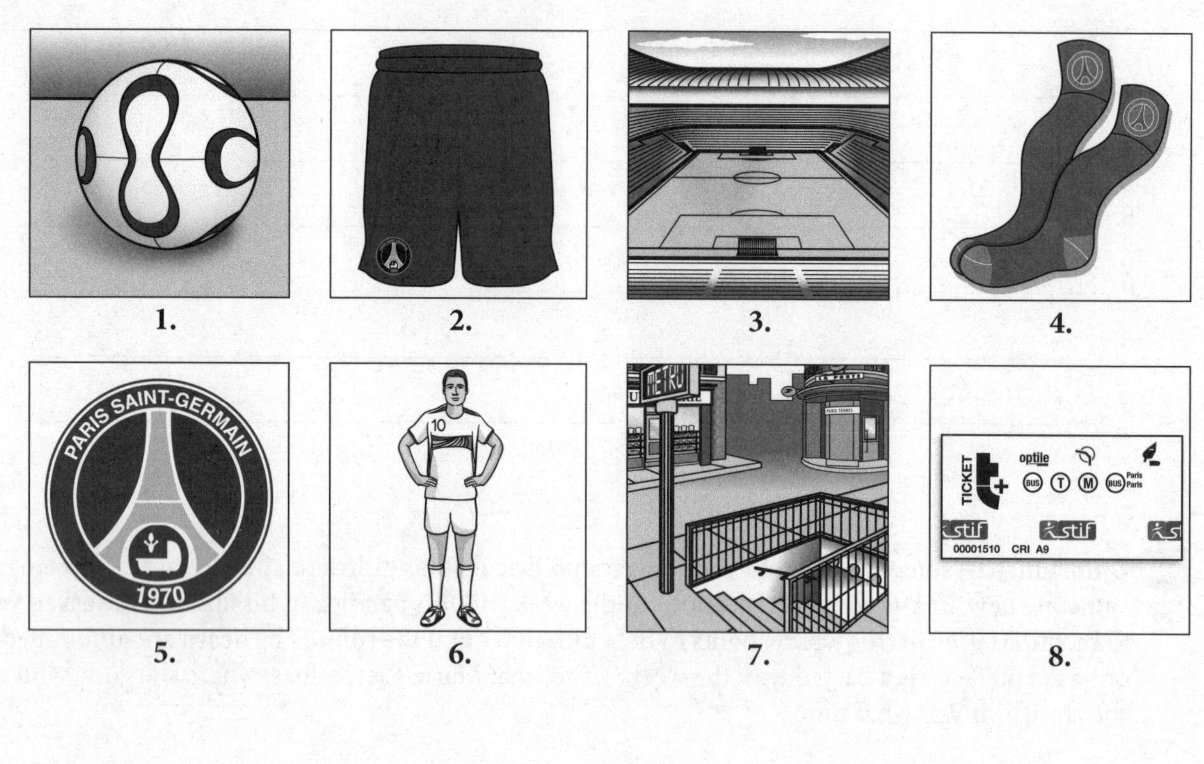

1. **2.** **3.** **4.**
5. **6.** **7.** **8.**

1. ______________________________ 5. ______________________________

2. ______________________________ 6. ______________________________

3. ______________________________ 7. ______________________________

4. ______________________________ 8. ______________________________

Nom: ______________________ Date: ______________

2A Write each of the following words next to its definition.

un footballeur   un stade   un ballon   un maillot

une équipe   un rendez-vous   un blason   une casquette

1. Il joue pour son équipe. ______________________
2. C'est là où on regarde le match. ______________________
3. On joue au football avec ça. ______________________
4. C'est un vêtement avec un numéro. ______________________
5. C'est un vêtement pour la tête. ______________________
6. C'est les joueurs de foot. ______________________
7. C'est une réunion avec des amis. ______________________
8. C'est l'emblème du club. ______________________

3B Complete each of the following sentences with the most logical missing word(s).

1. Samedi, nous allons voir un match de foot au ______________.
2. Super, mon joueur préféré ______________ un but et ______________ le match!
3. ______________ au stade à 5h00.
4. Mes amis sont les ______________, ils achètent une casquette de foot pour moi.
5. Les ados ont besoin d'un ______________ pour prendre le métro.
6. Mon cousin est ______________ professionnel.
7. Oh non! Mon équipe préférée va ______________ le match!
8. L' ______________ de Marseille gagne le match!

Nom: ______________________________ Date: ______________

4B Look at the illustrations below and say where the items are placed in relation to each other. Use two sentences for each image, if possible.

Modèle 

Luc

Luc est devant la bouche du métro.
La bouche du métro est derrière Luc.

1.

2.

3.

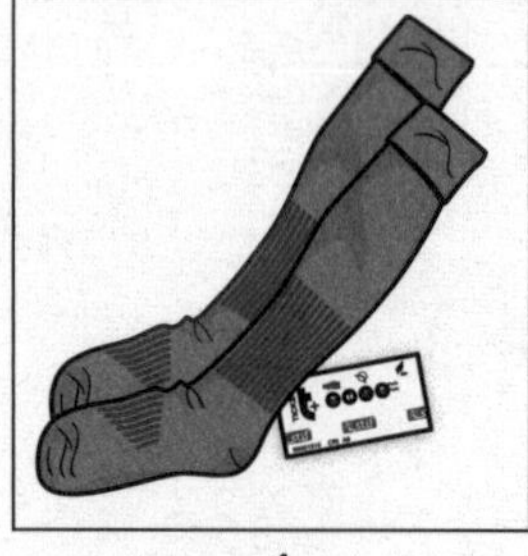

4.

5.

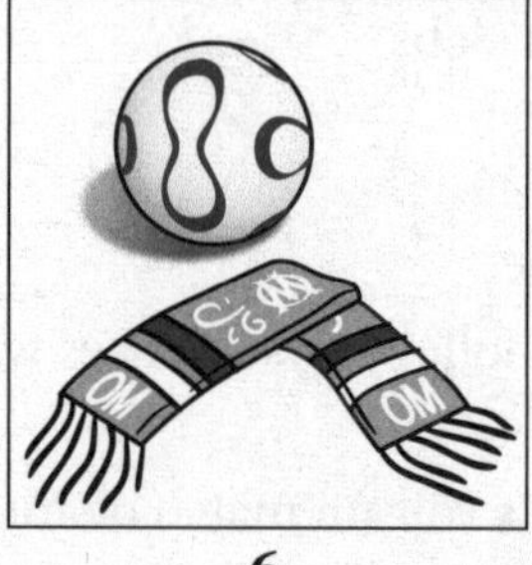

6.

7.

1. ______________________________
2. ______________________________
3. ______________________________
4. ______________________________
5. ______________________________
6. ______________________________
7. ______________________________

Nom: ______________________________ Date: ______________

5B You are at a sports souvenir shop in France, looking for gifts for your family and friends in the United States. Based on their tastes, say what you get for whom.

1. Papa aime beaucoup les ballons de foot.

____

2. Maman n'aime pas le foot mais elle aime les écharpes de Paris.

____

3. Ton meilleur ami n'aime pas le PSG; il aime l'OM et il a besoin de chaussures.

____

4. Le prof de français aime beaucoup Paris.

____

5. Dashaun n'aime pas le foot, il aime le basket.

____

6. Karla aime bien les affiches de foot.

____

7. Darren a besoin d'un blouson, il aime le PSG mais il préfère l'OL, l'équipe de Lyon.

____

6 Write the definition of each of the following words. Refer to the **Points de départ** in **Leçon A**.

1. la Coupe du monde ______________________________
2. les Bleus ______________________________
3. le grand direct ______________________________
4. l'Olympique lyonnais ______________________________
5. *L'Équipe* ______________________________
6. Bordeaux ______________________________
7. Zinédine Zidane ______________________________

Nom: ______________________________ Date: ______________

7 Write a short answer in English for each of the following questions.

1. Where are the soccer clubs in France located?

____

2. At what age can teens start playing competitive soccer?

____

3. Name three types of media that French fans can use to get information about soccer.

____

4. Why was 1998 an important year in France?

____

5. Name three famous French soccer players. Have you ever heard of them? If so, how?

____

____

6. Why is Ribéry considered France's hottest soccer player?

____

8 Give the last name of each of the famous French soccer players below.

1. Frank ____________________
2. Thierry ____________________
3. Éric ____________________
4. Zinédine ____________________
5. Michel ____________________

Nom: ______________________________ Date: ______________

9 Match each city with the name of its soccer team. Research online to find the names of the teams you do not know.

1. Lyon	A. PSG
2. Marseille	B. FC
3. Bordeaux	C. OM
4. Paris	D. OL
5. Lille	E. FCGB
6. Toulouse	F. LOSC

10A Say what the following people will be doing next week.

Modèle Nadal/jouer au foot/vendredi.
Nadal va jouer au foot vendredi.

1. Les ados/aller au cinéma/samedi.

____

2. Ma copine/faire du shopping avec moi/lundi.

____

3. Mes amis et moi, nous/écouter de la musique/jeudi.

____

4. Rachid et toi/manger de la pizza/vendredi.

____

5. Sylvie/faire du roller/mercredi.

____

6. Je/aider ma mère/dimanche.

____

7. Tu/faire les devoirs/mardi.

____

Nom: ______________________________ Date: ______________

11A Answer the following questions in French about your plans for the weekend.

1. Tu vas regarder un match de foot à la télé?

____

2. Tes copains vont aller à l'école?

____

3. Tes parents et toi, vous allez faire du shopping?

____

4. Tu vas jouer au foot avec ton meilleur ami?

____

5. Tu vas jouer aux jeux vidéo ce weekend?

____

6. Le prof de français va faire tes devoirs?

____

7. Tu vas parler français avec un ami?

____

8. Tes copains et toi, vous allez écouter de la musique?

____

Nom: ______________________ Date: ______________

12A Answer the following questions. Follow the **modèle**.

MODÈLE Qu'est-ce que tu vas faire aujourd'hui? (*nager à la piscine*)
Je vais nager à la piscine.

1. Qu'est-ce que vous allez faire? (*manger*)

____

2. Qu'est-ce qu'elle va faire? (*téléphoner à Antoine*)

____

3. Qu'est-ce qu'ils vont faire? (*surfer sur Internet*)

____

4. Qu'est-ce que les filles vont faire dans la classe de gym? (*danser*)

____

5. Qu'est-ce que Thierry va faire? (*jouer avec l'équipe de foot*)

____

6. Qu'est-ce que tu vas faire mercredi à quatre heures et demie? (*sortir avec Amélie*)

____

7. Qu'est-ce que vous allez faire après la classe de français? (*aller au cinéma*)

____

8. Qu'est-ce que tu vas faire ce soir à dix heures? (*dormir*)

____

Nom: ______________________ Date: ______________

13A Negate the following sentences using **ne… pas**.

Modèle Mes amis vont regarder un match de foot à la télé.
Mes amis ne vont pas regarder un match de foot à la télé.

1. Nous allons acheter une casquette.

____

2. Mes profs vont faire les devoirs ce weekend.

____

3. L'équipe du club de foot va gagner le match samedi.

____

4. Mon meilleur ami et moi, nous allons jouer avec le PSG.

____

5. Je vais faire un sandwich pour mon prof de maths.

____

6. Je vais porter un short avec le blason de l'équipe de foot de Marseille à l'école.

____

7. Je vais te présenter une fille sympa.

____

8. Tes amis et toi, vous allez regarder un film sur l'ordinateur à minuit.

____

Nom: ______________________________ Date: ______________

14B Say that the following persons will not do what is suggested, but will do something else. Follow the **modèle**.

Modèle Tu vas nager? (*surfer*)
Non, je ne vais pas nager. Je vais surfer.

1. Vous allez sortir? (*dormir*)

____

2. Elles vont manger? (*étudier*)

____

3. Il va téléphoner? (*bloguer*)

____

4. Tu vas danser? (*jouer au foot*)

____

5. Vous allez nager? (*plonger*)

____

6. Maman va faire une pizza? (*faire une quiche*)

____

7. Tes amis vont jouer au stade? (*faire du roller au parc*)

____

8. La meilleure élève de la classe va avoir 8/20? (*avoir 18/20*)

____

Nom: ______________________________ Date: ______________

15A Change the following statements into questions using **n'est-ce pas**.

1. Vous aimez l'équipe du PSG.

   ____

2. Mes amis et moi, nous allons au match de basket ce weekend.

   ____

3. Caroline et Myriam n'écoutent pas la musique alternative.

   ____

4. Khaled aime bien sa copine.

   ____

5. Il pleut.

   ____

6. Karim et toi, vous achetez des chaussures de foot.

   ____

7. Ta copine Anaïs ne va pas au stade avec toi.

   ____

8. On mange une pizza ce soir.

   ____

Nom: ______________________________ Date: ______________

16A Use inversion to turn the following statements into questions.

Modèle Nous portons un blason de l'équipe sur notre blouson.
Portons-nous un blason de l'équipe sur notre blouson?

1. Ils vont voir le match Marseille-OL.

____

2. Anne et Awa, elles se retrouvent devant la bouche du métro.

____

3. Tu gagnes le match!

____

4. Vous portez des chaussettes et des chaussures avec le blason de l'équipe.

____

5. Il fait mauvais aujourd'hui.

____

6. Le maillot coûte 25€.

____

7. Tu as besoin de jouer au basket avec nous.

____

8. Les profs de l'école, ils aiment l'équipe de l'OM.

____

9. Vous allez au concert samedi soir.

____

10. Lucas est passionnant.

____

11. Nous écoutons le professeur d'arts plastiques.

____

12. Ils regardent des DVD à la médiathèque.

____

Nom: ______________________________ Date: ______________

17B For each of the following answers, ask an appropriate question using **comment**, **pourquoi**, **quand**, **à quelle heure**, **où**, **est-ce que**, or **qu'est-ce que**. Use inversion.

Modèle Je vais soutenir Marseille parce qu'ils sont les meilleurs.
Pourquoi vas-tu soutenir Marseille?

1. Elle va dans ce restaurant parce qu'elle a rendez-vous avec Michel.

   ____

2. La classe de gym va aller au stade.

   ____

3. Je vais porter une nouvelle écharpe à l'école jeudi.

   ____

4. Nous allons plonger à la piscine.

   ____

5. Les amis vont faire les devoirs à la médiathèque.

   ____

6. J'écoute le CD de Air.

   ____

7. On va manger à la pizzeria.

   ____

8. Nous sommes à la maison parce qu'il ne fait pas beau.

   ____

Nom: ____ Date: ______________

Leçon B

18A Circle the word that does not fit with the others in the group.

1. eau minérale, croque-monsieur, orangina
2. jus d'orange, coca, salade
3. glace, chocolat chaud, café au lait
4. orangina, coca, café
5. croque-monsieur, steak, quiche, eau minérale
6. steak, jambon, pâté, fromage
7. crêpe au chocolat, glace, omelette
8. café, eau minérale, frites

19A Fill in the blanks in the conversations below.

1. - Bonjour mademoiselle, ______________________________?

   - Je voudrais une quiche, s'il vous plaît.

2. - ______________________________?

   - D'accord, 13€, monsieur.

3. - ______________________________?

   - Un café, s'il vous plaît.

4. - Et comme dessert?

   - ______________________________ une crêpe.

   - Moi, ______________________________ une glace à la vanille.

5. - ______________________________?

   - Un coca pour moi et une limonade pour ma copine, s'il vous plaît.

Nom: ______________________________ Date: ______________

20A Fill in the empty menu below by putting the following vocabulary words in the correct categories.

jambon	steak-frites	salade	orange	crêpe
glace à la vanille	café	eau minérale	chocolat	pâté
coca	hamburger	sandwich au fromage	omelette au fromage	

Chez Léonard
Entrées
Desserts
Plats du jour
Boissons

Nom: ______________________________ Date: ______________

21A Say whether the people are hungry or thirsty (or both), according to the illustrations.

1. M. Perrin

2. nous

3. les amis

4. je

5. Mlle Duval

6. M. et Mme Compas

7. Zoé

1. ______________________________
2. ______________________________
3. ______________________________
4. ______________________________
5. ______________________________
6. ______________________________
7. ______________________________

Nom: ______________________________ Date: ______________

22B You are cooking for your family tonight, and you decide to be fancy and create a menu for them. Fill in the menu template below, making sure to include at least two different options in each category.

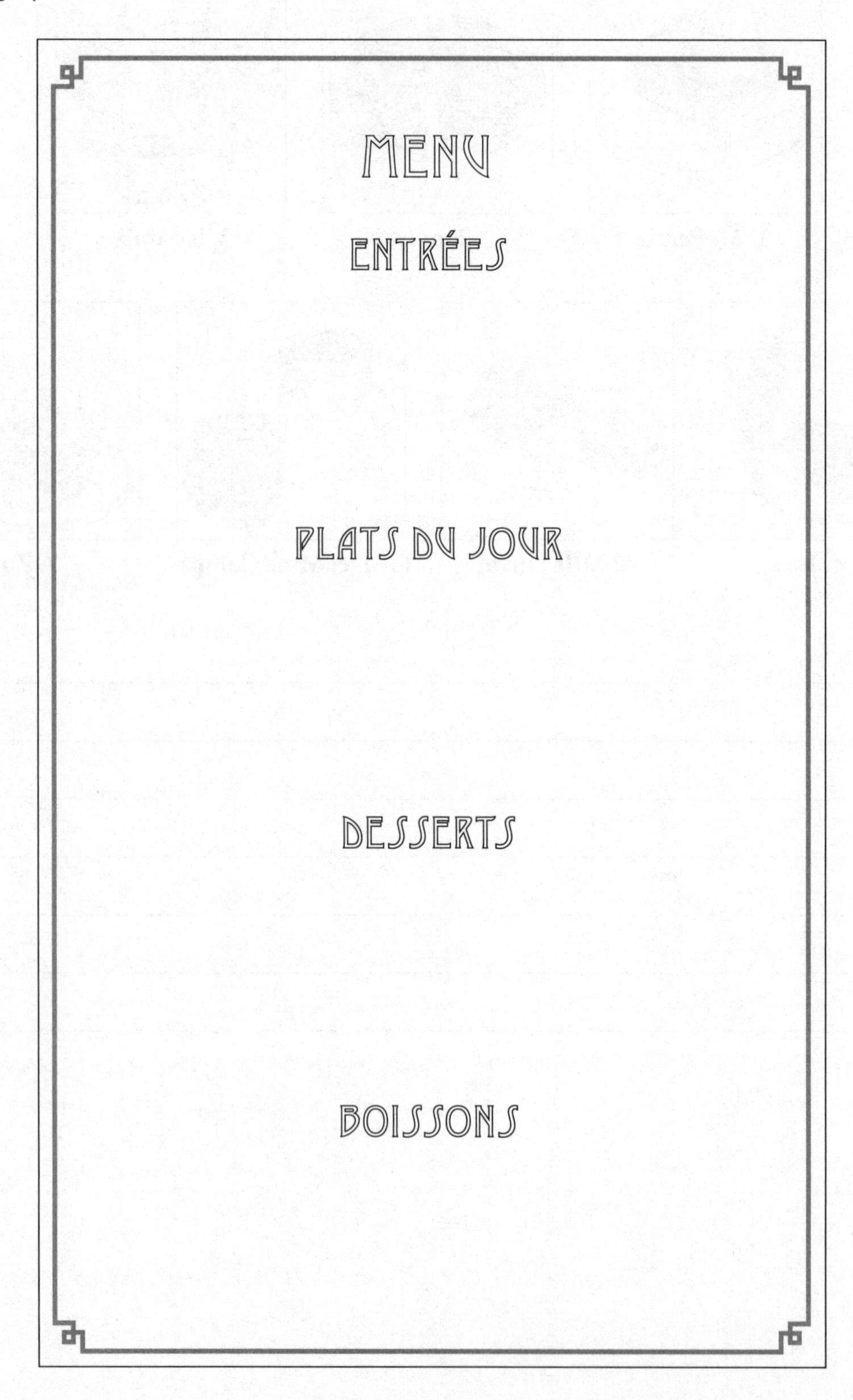

Nom: ______________________________ Date: ______________

23B Say what the following people at the **Café français** might order, based on their situations. Follow the **modèle**.

MODÈLE M. Gaston ate too much for breakfast and is not hungry.
Je voudrais une salade et une eau minérale, s'il vous plaît.

1. Janine has been working in the yard in the hot sun all afternoon.

____

2. You and your two friends each only have 20 euros on you.

____

3. You are very, very thirsty.

____

4. Your little brother, Nicolas, hates ham but loves cheese.

____

5. You and your friend just finished playing soccer for two hours.

____

6. Your mom is in the mood for her favorite food.

____

7. Marylyn is lactose intolerant and diabetic.

____

Nom: ______________________________ Date: ______________

24A Do the following math problems. Write the answer in both numbers and letters.

Modèle 20 + 52 = **72, soixante-douze**

1. 97 + 225 = ______________________________
2. 183 + 290 = ______________________________
3. 67 – 23 = ______________________________
4. 589 – 234 = ______________________________
5. 98 – 89 = ______________________________
6. 16 + 43 = ______________________________
7. 678 + 98 = ______________________________
8. 132 + 111 = ______________________________
9. 376 + 26 = ______________________________
10. 123 – 90 = ______________________________

25 Go online and search French fast-food restaurants such as **Quick**, **Flunch**, **Paul**, **DéliFrance**, **la Brioche Dorée**, **le Relais H**, **la Viennoisière**, and **Pizza del Arte**. Choose one restaurant and browse its menu. In the space below, write the name of the restaurant you chose, as well as a few sentences about which items on the menu you would order and which you would not order. Make sure to explain your choices.

____

____

____

____

____

____

____

____

____

Nom: ______________________________ Date: ______________

26 Write the names of the French café(s) frequented by each of the authors below, according to the **Points de départ** in **Leçon B.**

Écrivain	Café(s) de fréquentation
1. Ernest Hemingway	
2. Voltaire	
3. F. Scott Fitzgerald	
4. Jean-Paul Sartre	
5. Simone de Beauvoir	

27 Go online and find a restaurant in Paris that is famous for a particular dish. Use the information you find to fill out the chart below.

Restaurant name	
Address	
Location (*In which area of the city is it located? What famous buildings are nearby?*)	**Genre** (*What type of food is served?*)
Specialty (*What dish is it known for?*)	**Price range** (*How much do the most and least expensive items cost?*)
Examples of main dishes	**Examples of desserts**

Nom: ______________________________ Date: ______________

28A Fill in the correct form of the verb **prendre** in each of the following sentences.

1. Je ____________ un sandwich.
2. Elle ____________ un ticket.
3. Il ____________ un livre.
4. Tu ____________ un coca.
5. Nous ____________ des stylos.
6. Ils ____________ des ballons de foot.
7. Vous ____________ un rendez-vous.
8. Elles ____________ une écharpe.
9. On ____________ un café?

29B Answer the following questions in French.

1. Qu'est-ce que tu prends au café?

____

2. Qu'est-ce que les élèves prennent à la cafétéria aujourd'hui?

____

3. Qu'est-ce que je prends pour le cours de français?

____

4. Qu'est-ce que ton camarade de classe prend pour le cours de musique?

____

5. Qu'est-ce que nous prenons pour écouter de la musique?

____

6. Qu'est-ce que tu prends quand tu as faim?

____

7. Qu'est-ce que vous prenez quand vous avez soif?

____

8. Qu'est-ce que le prof de gym prend après les cours?

____

Nom: ______________________________ Date: ______________

30B Say what the following people are having, according to the illustrations.

Modèle

les filles

Les filles prennent une eau minérale, un jus d'orange, et une limonade.

1. Louis

2. tu

3. je

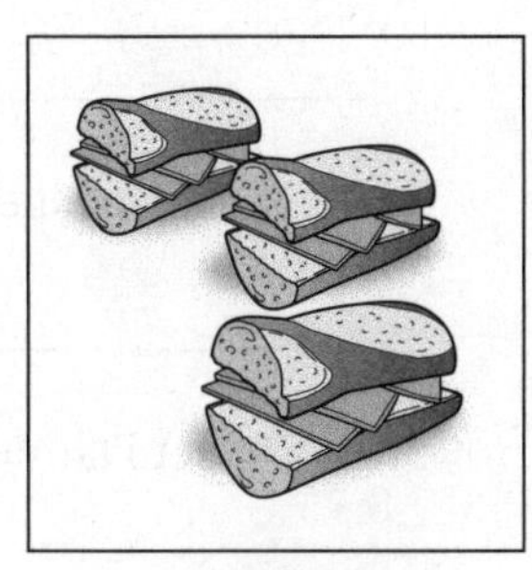

4. vous

5. la famille Marteau

6. Jean

7. toi et moi, nous

8. on

1. ______________________________

2. ______________________________

3. ______________________________

4. ______________________________

5. ______________________________

6. ______________________________

7. ______________________________

8. ______________________________

Nom: ______________________________ Date: ______________

31B Say what the following people take with them, according to their situations. Choose from the list of items below.

un stylo	un DVD	une eau minérale	un ballon de foot	l'addition
un sac à dos	une carte	un portable	un ordinateur	

1. Je vais au parc avec mes amis.

____

2. M. Rétro voyage.

____

3. Patrick et Damien vont surfer sur Internet.

____

4. On téléphone à Julian et Talia.

____

5. Les profs du lycée montrent le film *Amélie* aux classes de français.

____

6. Papa et maman invitent la famille au restaurant.

____

7. Tu fais du footing.

____

8. Nous allons faire les devoirs.

____

9. Pierre va à l'école.

____

Nom: ____ Date: ________________

32B Describe a perfect evening in Paris at a restaurant of your choice. Mention with whom you go, what time you meet, what each person eats and drinks, how much the bill is, and what time it is at the end of the evening. Write a minimum of eight sentences in French, use the verbs **prendre** and **avoir**, mention at least ten foods and drinks, and use at least three negative sentences.

Nom: ______________________________ Date: ______________

Leçon C

33A Name an American or French movie you know that fits each of the following categories.

1. un drame ______________________________
2. un film d'horreur ______________________________
3. un thriller ______________________________
4. un documentaire ______________________________
5. un film musical ______________________________
6. une comédie romantique ______________________________

34B Say what kind of movie the following people are most likely going to watch, based on the information given. Choose from the list of genres below.

Modèle C'est un film avec Jim Carey.
une comédie

un film d'horreur	un documentaire	un thriller
une comédie romantique	une comédie	un drame
un film d'aventures	un film de science-fiction	

1. On va rire. ______________________________
2. Je vais pleurer. ______________________________
3. Marc aime l'aventure. ______________________________
4. Il y a des extra-terrestres (*aliens*). ______________________________
5. Il y a du suspense. ______________________________
6. C'est un film de Stephen King. C'est horrible! ______________________________

Nom: ______________________________ Date: ______________

35A Tell your friend how he or she will react when he or she sees the following movies. Use **aller** + **rire**, **pleurer**, **aimer**, or **ne... pas aimer**.

Modèle *Le Fabuleux destin d'Amélie Poulain* est une comédie.
Tu vas rire.

1. *Da Vinci Code* est un thriller. ______________________________
2. *Pas sur la Bouche* est une comédie musicale. ______________________________
3. *Coco avant Chanel* est un drame. ______________________________
4. *Ensemble*, c'est une comédie. ______________________________
5. *Hors de Prix* est une comédie. ______________________________

36A The movie *Les petits mouchoirs* starts at 19h30 at the Pathé cinema. Say who is early, who is on time, and who is late.

Modèle 19h25 (*moi*)
Je suis en avance.

1. 19h40 (*Cédric*) ______________________________
2. 19h25 (*Fatima*) ______________________________
3. 19h20 (*Alex et Diana*) ______________________________
4. 19h15 (*vous*) ______________________________
5. 19h35 (*François et Kevin*) ______________________________
6. 19h30 (*nous*) ______________________________

Nom: ______________________ Date: ____________

37B You and your friend Joachim have made plans to go to the movies tonight. Write him a text message with three movie choices. Include the name of each movie, the genre, the main actor or actress, where the movie plays, and what time it starts.

MODÈLE **Salut! Ce soir il y a *Amélie*, une comédie romantique avec Audrey Tatou au Pathé à 20h30. Il y a aussi....**

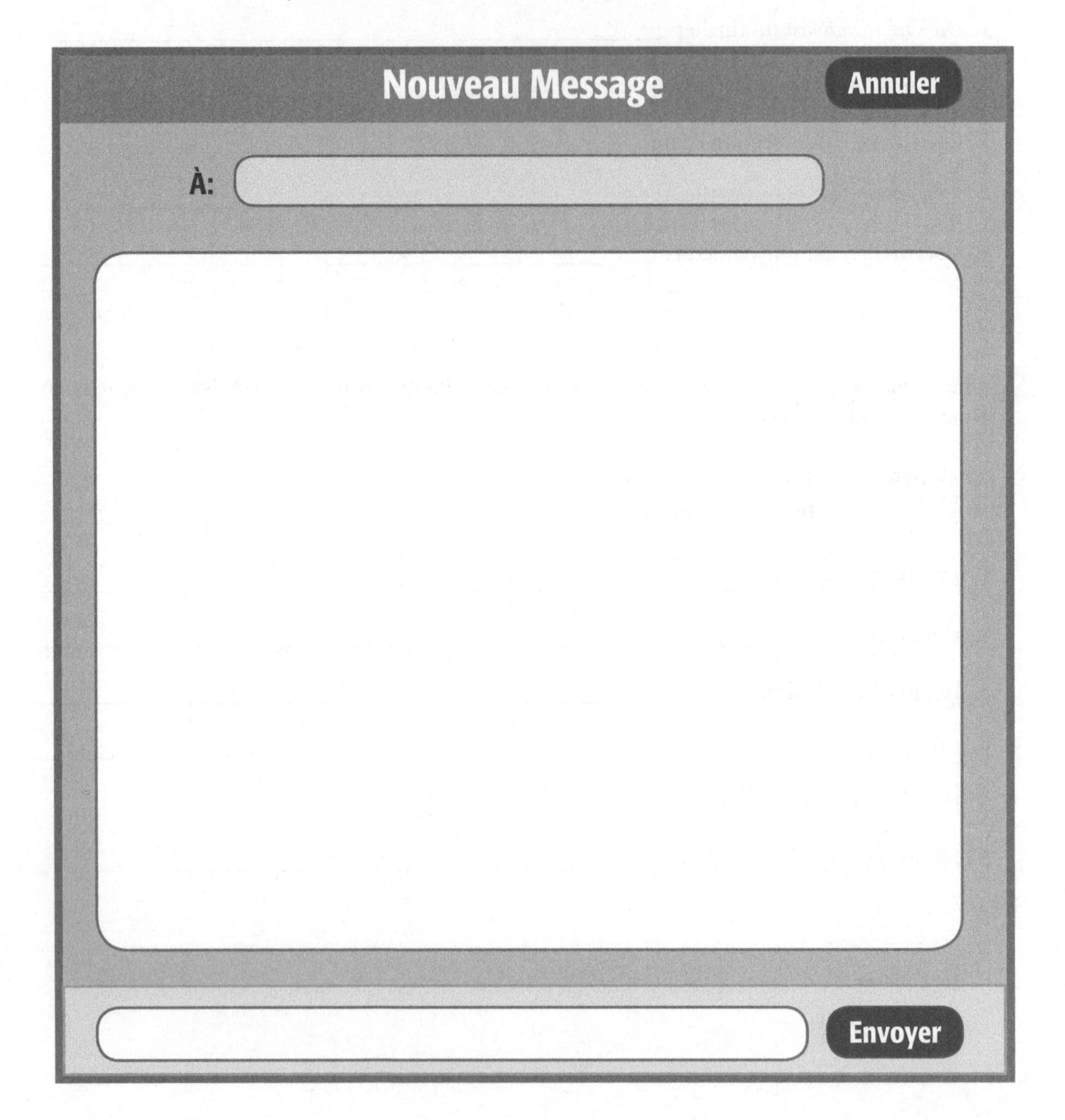

Nom: ______________________________ Date: ______________

38B Read each of the following reviews and say whether you will like the movie or not, based on what the critics say. Use the verb **aimer** and **un peu, beaucoup**, or **pas du tout.**

MODÈLE *Les petits mouchoirs*: **On va aimer beaucoup.**

Les petits mouchoirs
Guillaume Canet

Les petits mouchoirs de Guillaume Canet avec Marion: vous allez rire, vous allez pleurer, et vous allez adorer les personnages.

Black Swan
Darren Aronofsky

Black Swan de Darren Aronofsky: drame avec Natalie Portman et Vincent Cassel: vous allez avoir peur, être émus…

Benda Bilili
Renaud Barret

Benda Bilili, documentaire de Renaud Barret: à Bamako, des handicapés composent et chantent des chansons: vous allez adorer.

Les amours imaginaires
Xavier Dolan

Les amours imaginaires, drame canadien de Xavier Dolan. Vous allez être enchanté par l'amour.

Des hommes et des dieux
Xavier Beauvois

Des hommes et des dieux, drame de Xavier Beauvois avec Lambert Wilson et Michael Lonsdale. Attention! Vous allez voir un chef-d'œuvre.

True Grit
Joël et Ethan Cohen

True Grit de Joël et Ethan Cohen, western avec Jeff Bridges et Matt Damon. On préfère *Burn After Reading* ou *Fargo*.

La ligne droite
Régis Wargnier

La ligne droite, drame de Régis Wargnier avec Rachida Brakni et Cyril Descours. Les bons sentiments ne font pas toujours un bon film. Hélas!

Biutiful
Alejandro Gonzalez Iñarritu

Biutiful, drame hispano-mexicain de Alejandro Gonzalez Iñarritu avec Javier Bardem. Vous aimez Javier Bardem, alors vous allez aimer le film.

1. *Black Swan*: ______________________________
2. *Benda Bilili*: ______________________________
3. *Les amours imaginaires*: ______________________________
4. *Des hommes et des dieux*: ______________________________
5. *True Grit*: ______________________________
6. *La ligne droite*: ______________________________
7. *Biutiful*: ______________________________

Nom: ______________________ Date: ____________

39B You want to invite some new friends to go to the movies with you this weekend. Prepare six questions to ask them about their likes and dislikes regarding movies and the cinema.

1. ______________________
2. ______________________
3. ______________________
4. ______________________
5. ______________________
6. ______________________

40 Write what the following numbers refer to, according to the **Points de départ** in **Leçon C**.

1. 4,400

____

2. 85 million

____

3. 200 million

____

4. 220

____

5. 2004

____

6. 2009

____

7. 20 million

____

Nom: ______________________________ Date: ______________

41 Use the Internet to find a current French movie that fits each category.

Search words: allociné

1. un film d'aventure

____

2. une film d'horreur

____

3. un film de science-fiction

____

4. une comédie musicale

____

5. une comédie

____

6. un drame

____

42 Answer the following questions based on movie reviews you find on the website **Allociné.fr**.

1. Un billet de cinéma coûte ______________________________.
2. Ce soir il y a le film ______________________________ au cinéma.
3. ______________________________ personnes aiment le film.
4. ______________________________ est le film numéro 1 au box office.
5. ______________________________ est un bon cinéma.
6. ______________________________ est un bon film.
7. ______________________________ est un mauvais film.

Nom: ______________________________ Date: ______________

43A For each statement below, ask a question using one of the interrogative adjectives **quel**, **quelle**, **quels**, and **quelles**.

MODÈLE Les Martin aiment un film.
Quel film?

1. Nous avons une amie française. ______________________________
2. La classe de maths va voir un match de foot. ______________________________
3. Je vais au stade avec des amis. ______________________________
4. J'aime un genre de film. ______________________________
5. Tu as des CD? ______________________________
6. On regarde une comédie? ______________________________
7. Mes amis parlent avec les filles. ______________________________

44A Complete the following questions with the correct interrogative adjective.

MODÈLE Tu vas à **quel** lycée?

1. Tu es en ____________________ classe?
2. Tu aimes ____________________ cours?
3. Tu as ____________________ profs?
4. Tu fais ____________________ devoirs?
5. Tu préfères ____________________ matières?
6. Tu préfères ____________________ sports?
7. Tu as ____________________ prof de français?

Nom: ____________________ Date: ____________

45B You are on the phone with your friend Paolo in Mexico, but you have a bad connection and cannot hear him very well. Ask questions about what you did not hear clearly (in italics). Use the interrogative adjectives **quel**, **quelle**, **quels**, and **quelles**.

Modèle Je sors *samedi.*
Tu sors quel jour?

1. Je vais à la séance *de minuit.*

____

2. Je vois *une comédie.*

____

3. Je n'aime pas les acteurs *du film.*

____

4. Je préfère l'actrice *Vanessa Paradis.*

____

5. Mes amis adorent les films *de science-fiction.*

____

6. Nous avons rendez-vous au cinéma *Cine Paraíso.*

____

46A Complete each sentence with the correct form of the verb **voir**.

1. Là, vous ____________ le parc.
2. Ici, on ____________ le lycée.
3. Là, nous ____________ le stade.
4. Là, elles ____________ la piscine municipale.
5. Ici, il ____________ la médiathèque.
6. Là, je ____________ le centre commercial.
7. Ici, tu ____________ le collège.

Nom: ______________________________ Date: ______________

47B Create complete sentences using the following elements.

Modèle Richard/ne... pas voir/un thriller/le weekend
Richard ne voit pas un thriller le weekend.

1. Marie-Paule et Sébastien/voir/un film d'horreur

____

2. tu/ne... pas voir/le DVD/derrière la télé

____

3. nous/voir/un bon film/avec les copains

____

4. ma famille et moi/voir/un ami/au restaurant

____

5. je/ne... pas voir/le prof de biologie/à l'école

____

6. voir/vous/les animaux/devant le bus

____

7. Béatrice et Nathalie/voir/un film musical/au Pathé

____

8. tu/ne... pas voir/mon sac à dos

____

Nom: ______________________________ Date: ______________

48B Look at the illustrations below and write what each person sees.

Modèle

tu

Tu vois un café.

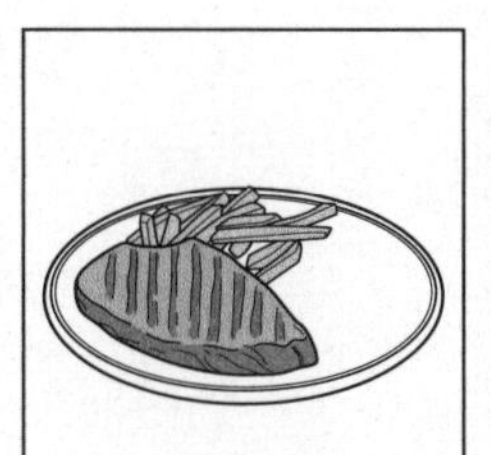

1. M. Albert

2. M. et Mme Anvers

3. Dominique

4. je

5. tu

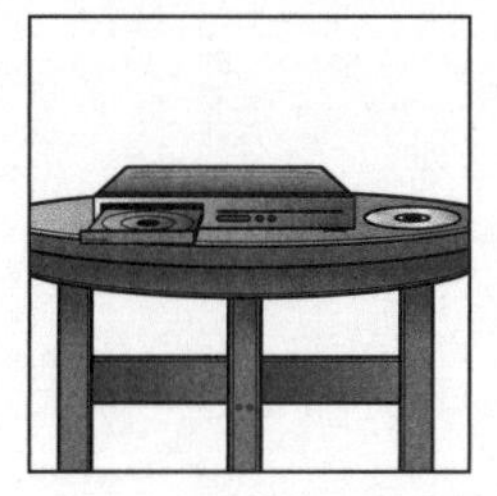

6. vous

7. on

8. Chanel et Keisha

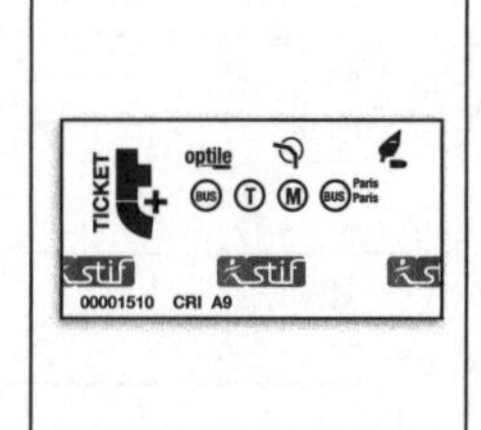

9. les copains et moi

10. Hélène

1. ______________________________

2. ______________________________

3. ______________________________

4. ______________________________

5. ______________________________

6. ______________________________

7. ______________________________

8. ______________________________

9. ______________________________

10. ______________________________

Nom: ______________________________ Date: ______________

Unité 5: Les gens que je connais

Leçon A

1A Write the missing words in the spaces below to create logical pairs.

le beau-père	le fils	le mari	la grand-mère
la tante	la sœur	le cousin	la belle-sœur

Modèle le grand-père et **la grand-mère**

1. l'oncle et ______________________________
2. la cousine et ______________________________
3. la fille et ______________________________
4. le beau-frère et ______________________________
5. le frère et ______________________________
6. la belle-mère et ______________________________
7. la femme et ______________________________

2A In each group below, circle the word that does not belong.

Modèle le père, la mère, la fille, (le cousin)

1. l'oncle, la sœur, la tante, la cousine
2. le frère, la cousine, la sœur, le père
3. la grand-mère, le beau-frère, la mère, la fille
4. la belle-sœur, le beau-frère, la belle-mère, le frère
5. les enfants, la demi-sœur, le demi-frère, les parents
6. le cousin, la cousine, le grand-père, le frère
7. la grand-mère, le demi-frère, le cousin, le beau-frère

Nom: ______________________________ Date: ______________

3B Write the name of the family member that fits each of the descriptions below.

Modèle le frère du père: **l'oncle**

1. la sœur de la mère: ______________________
2. le fils de la tante: ______________________
3. le père de la mère: ______________________
4. le mari de la sœur: ______________________
5. la femme du grand-père: ______________________
6. le fils de la belle-mère: ______________________
7. la femme du frère: ______________________

4A Refer to **Activité 1** on page 222 of the textbook to indicate whether the following statements are true (**vrai**) or false (**faux**).

	vrai	**faux**
1. Alexis a les cheveux blonds.		
2. Simon a les yeux bleus.		
3. Leïla ressemble à sa mère.		
4. Nayah a les cheveux noirs.		
5. Monsieur Russac a les yeux bleus.		
6. Le fils de Mme Djellouli ressemble à son père.		
7. Mme Diouf a les cheveux noirs.		
8. Le frère de Simon a les yeux bleus.		

Nom: ______________________________ Date: ____________

5A Answer the following questions in French.

Modèle Qui a les cheveux blonds?
Ma cousine Catherine a les cheveux blonds.

1. Qui a les cheveux bruns?

____

2. Qui a les yeux noirs?

____

3. Qui a les cheveux roux?

____

4. Qui a les yeux marron?

____

5. Qui a les yeux verts?

____

6. Qui a les cheveux gris?

____

7. Qui a les yeux bleus?

____

8. Qui a les yeux gris?

____

Nom: ______________________________ Date: ______________

6B Read the following statements and use them to fill in the genealogical tree with the names below.

Bruno	Appoline	Malika	Guillaume	François
Amélie	Augustin	Lilou	Paul	Noah

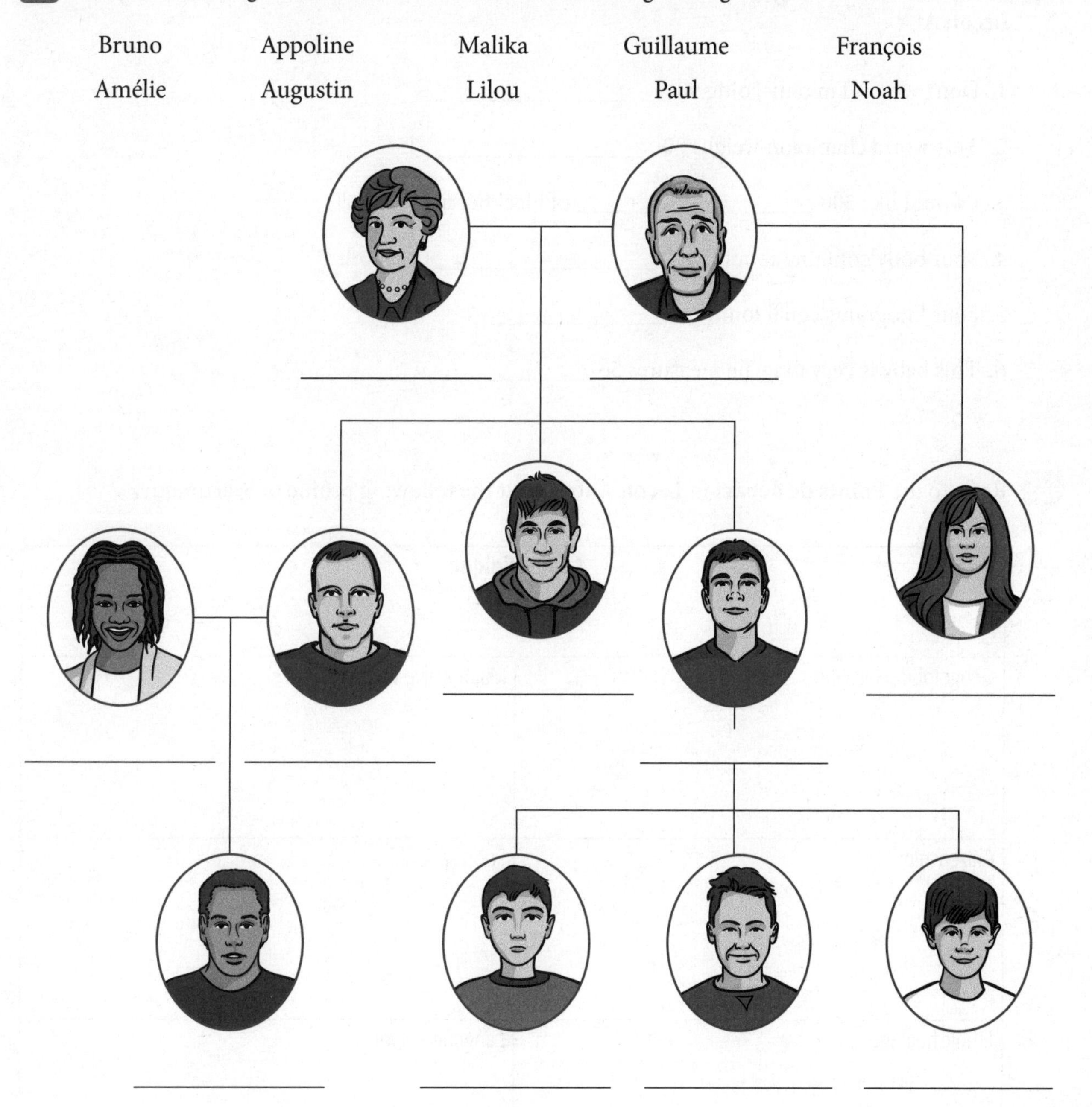

1. Malika et Guillaume ont un seul fils.
2. Nicolas a trois enfants.
3. Amélie est la belle-fille d'Appoline.
4. Malika est la belle-sœur de François.
5. Augustin est le cousin de Lilou.
6. Noah et Paul sont les frères de Lilou.
7. Appoline est la grand-mère d'Augustin.
8. Bruno est le grand-père de Paul.

Nom: ______________________________ Date: ______________

7 Complete the following sentences with the correct metric unit. Refer to the **Points de départ** in **Leçon A**.

1. Don't worry, I'm only going 90 ________________.
2. This world champion weighs 80 ________________!
3. I would like 500 ________________ of blackberries, please!
4. Your body contains about five ________________ of blood.
5. Four kilograms equal four ________________.
6. This baby is very long; he measures 56 ________________.

8 Refer to the **Points de départ** in **Leçon A** to fill out the following profile of Martinique.

La Martinique Nickname:	
Geographical location:	Major active volcano:
Citizenship:	Food specialties:
Ethnic heritage:	Languages spoken:

Nom: ____ Date: ________________

9A Write **mon**, **ma**, or **mes** before each noun below.

1. ___________ cousine
2. ___________ père
3. ___________ belle-sœur
4. ___________ amis
5. ___________ cousines
6. ___________ oncle
7. ___________ grand-père
8. ___________ sœur

10A Fill in the blanks with the appropriate possessive adjectives.

1. Je n'ai pas ___________ feuille de papier!
2. Papa, comment s'appelle ___________ belle-sœur?
3. Malik regarde ___________ émission préférée.
4. Nous faisons ___________ devoirs avant le dîner.
5. Tu aimes bien ___________ sœur?
6. Les garçons aiment sortir avec ___________ amis.
7. J'aime aller au cinéma avec ___________ copain.
8. Vous allez voir ___________ grands-parents?

Nom: ______________________________ Date: ______________

11A Say what each person has, according to the illustrations. Use possessive adjectives.

Modèle

Gérard

Gérard a son livre.

1. Naya

2. nous

3. Le père et la mère

4. Pierre et Alain

5. Karim et Fatima

6. je

7. vous

8. tu

1. ______________________________

2. ______________________________

3. ______________________________

4. ______________________________

5. ______________________________

6. ______________________________

7. ______________________________

8. ______________________________

Nom: ______________________________ Date: ______________

12B Answer the following questions with a complete sentence using the correct possessive adjective.

Modèle La fille de ta tante, c'est qui?
C'est ma cousine.

1. L'oncle de ta sœur, c'est qui?

____

2. Les parents de tes parents, ce sont qui?

____

3. Le père du père de Xavier, c'est qui?

____

4. La mère d'Alex, c'est qui?

____

5. Le fils de M. et Mme Jaquin, c'est qui?

____

6. La femme de votre père, c'est qui?

____

7. Les enfants de votre oncle et votre tante, ce sont qui?

____

8. Les grands-parents de ton meilleur ami, ce sont qui?

____

Nom: ______________________________ Date: ______________

13A Make the following sentences negative.

Modèle Nous avons un petit chat.
Nous n'avons pas de petit chat.

1. Ma sœur a des cousins.

____

2. Leila et Gérald ont une tante algérienne.

____

3. La prof de biologie a des enfants.

____

4. Le père et la mère de Maxime ont un poisson rouge.

____

5. Vous avez une carte de la France dans la salle de classe de maths.

____

6. Tu as une belle trousse.

____

7. On a un crayon et des stylos.

____

8. Sylvie a un grand-père et une grand-mère français.

____

Nom: ______________________________ Date: ______________

14B Answer the following questions in the negative.

Modèle Tu as un cheval à la maison?
Non, je n'ai pas de cheval à la maison.

1. Tu manges un poisson rouge à la cantine?

____

2. Toi et tes amis, vous avez des livres de sciences à la teuf?

____

3. Ton oncle a des devoirs de français?

____

4. Tes camarades de classe ont un lecteur de DVD dans leurs sacs à dos?

____

5. Ta petite sœur et toi, vous avez des cousins canadiens?

____

6. Ta famille a des amis algériens?

____

7. Ton meilleur ami et toi, vous avez un ordinateur portable dans votre sac à dos?

____

8. Tes amis mangent un croque-monsieur pour le petit-déjeuner?

____

Nom: ______________________________ Date: ______________

15B Write a paragraph about your family. Say how many people are in your family and how they are all related. Also describe each member physically and explain who looks like whom. Write a minimum of eight sentences in French.

Nom: ______________________________ Date: ______________

Leçon B

16A Match the illustrations with the appropriate month below.

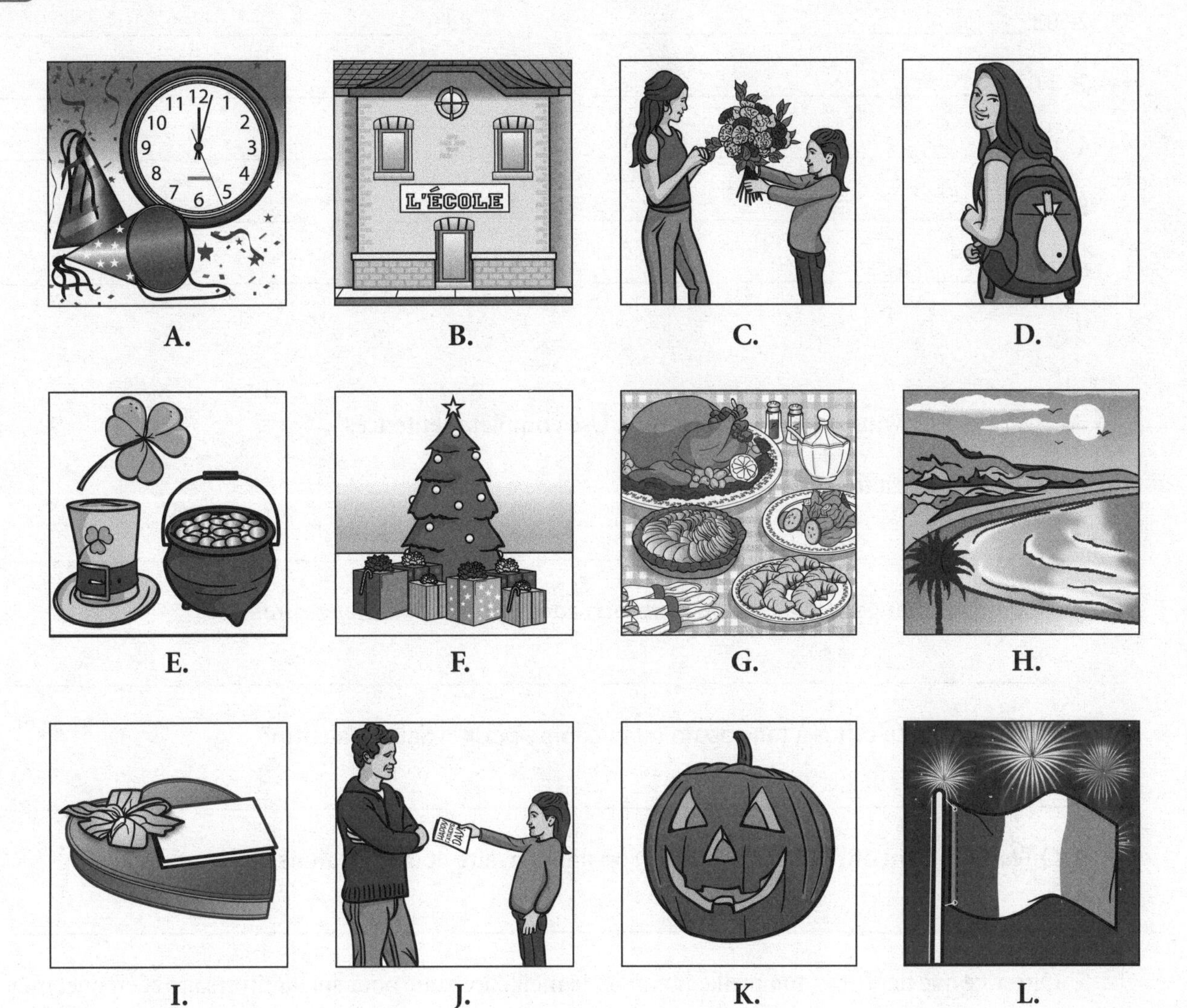

A. B. C. D.

E. F. G. H.

I. J. K. L.

1. janvier ______________
2. février ______________
3. mars ______________
4. avril ______________
5. mai ______________
6. juin ______________
7. juillet ______________
8. août ______________
9. septembre ______________
10. octobre ______________
11. novembre ______________
12. décembre ______________

Nom: ______________________ Date: ____________

17A Write the name of the month that corresponds to each of the numbers below.

1. 07 ______________
2. 02 ______________
3. 11 ______________
4. 04 ______________
5. 09 ______________
6. 12 ______________
7. 01 ______________
8. 08 ______________
9. 10 ______________
10. 05 ______________
11. 03 ______________
12. 06 ______________

18B Answer the following questions in French. Use complete sentences.

1. En quel mois est ton anniversaire?

____

2. Tu préfères manger un gâteau ou avoir un cadeau pour ton anniversaire?

____

3. Qu'est-ce que tu offres à ton copain ou ta copine pour la Saint-Valentin?

____

4. Qu'est-ce que tu offres à ta mère pour son anniversaire et en quel mois?

____

5. Qu'est-ce que tu offres à ton meilleur ami ou ta meilleure amie pour son anniversaire et en quel mois?

____

6. Tu offres un cadeau ou une carte cadeau à tes amis?

____

7. En quel mois est l'anniversaire de ton père?

____

8. Qu'est-ce que tu offres à ton grand-père et ta grand-mère pour Noël?

____

Nom: ____ Date: ________________

19A Abdou and Marie-Alix are twins. They are exactly alike in character. Write the adjectives below in the correct columns to describe each twin. You may use some words twice.

bavarde	généreuse	sympa	paresseux	égoïste
bavard	timide	paresseuse	généreux	

______________________	______________________
______________________	______________________
______________________	______________________
______________________	______________________
______________________	______________________
______________________	______________________

20A Complete each of the following sentences with the adjective that means the opposite of the one used at the beginning of the sentence.

Modèle Lisa est petite, elle n'est pas **grande**.

1. Homer est bête, il n'est pas ______________________.
2. Maggie est égoïste, elle n'est pas ______________________.
3. Bart est méchant, il n'est pas ______________________.
4. Lisa est intelligente, elle n'est pas ______________________.
5. Marge n'est pas timide, elle est ______________________.
6. Homer n'est pas diligent, il est ______________________.
7. Maggie n'est pas sympa, elle est ______________________.
8. Bart n'est pas timide, il est ______________________.
9. Homer n'est pas égoïste, il est ______________________.
10. Lisa n'est pas paresseuse, elle est ______________________.

Nom: ______________________ Date: ____________

21 Based on their nationalities, name one holiday that each of the following people most likely celebrates, and how they might celebrate it. Refer to the **Points de départ** in **Leçon B**.

Jean-Charles, français:

____

____

____

Chrystèle, martiniquaise:

____

____

____

Sid, algérien:

____

____

____

22 Your parents' 20th wedding anniversary is coming up. Go online and visit the **FNAC** website. In the space below, write down ten things you want to purchase from **la FNAC** to give your parents an unforgettable anniversary.

1. ____________ 6. ____________

2. ____________ 7. ____________

3. ____________ 8. ____________

4. ____________ 9. ____________

5. ____________ 10. ____________

Nom: ______________________________ Date: ______________

23A Fill in the blanks with the correct form of the verb in parentheses.

1. Les filles ____________________. (*rougir*)
2. On ____________________ le gâteau. (*finir*)
3. Vous ____________________ vos devoirs. (*finir*)
4. Tu ____________________ en juillet. (*maigrir*)
5. Ma mère, elle ____________________ à l'anniversaire de son frère. (*réfléchir*)
6. Les enfants ____________________! (*grandir*)
7. Je ____________________ à la maison de ma grand-mère. (*grossir*)
8. Nous ____________________ au contrôle de français. (*réussir*)

24B Fill in the blanks with the correct form of the appropriate verb from the list below

finir	réussir	grossir	choisir
rougir	réfléchir	maigrir	grandir

Bonjour Aïcha,

Je (1) ____________________ un voyage incroyable en Guyane française! Ma famille et moi, nous (2) ____________________ une petite ville près de Cayenne. Nous faisons beaucoup de sport alors mon père et moi, nous (3) ____________________. Mais, ma mère (4) ____________________, alors elle n'est pas contente. Les Guyanais sont très sympa! Nos guides (5) ____________________ à marcher pendant des heures dans la forêt amazonienne. Nous nous sommes fatigués! Je (6) ____________________ parce que mon guide est jeune et beau, et je (7) ____________________ à bien marcher, pas comme une touriste! Les femmes guyanaises (8) ____________________ beaucoup à la culture guyanaise et la culture française. Elles travaillent dur et (9) ____________________ à apprendre l'histoire aux enfants, ils (10) ____________________ avec. J'apprends un peu le créole, mais, ne me donne pas un contrôle, je ne (11) ____________________ pas! À notre retour, maman et moi, nous allons préparer la cuisine guyanaise. Tu manges beaucoup et tu (12) ____________________ !

Nom: ______________________________ Date: ______________

25B Use an **-ir** verb to say what logically happens next in each of the following situations.

Modèle Isabelle mange beaucoup de gâteau.
Elle grossit.

1. Nous travaillons beaucoup pour notre contrôle de français aujourd'hui.

____

2. Je suis timide devant la classe.

____

3. L'équipe de foot marque un but.

____

4. Les filles étudient pour demain.

____

5. Tu veux voir un film d'horreur ou une comédie?

____

6. Le président est très diligent.

____

7. Mon petit cousin a maintenant quatorze ans.

____

8. Vous ne mangez pas beaucoup.

____

9. Mon grand-père et moi mangeons beaucoup de hamburgers et de frites.

____

10. Chut! J'étudie!

____

Nom: ______________________________ Date: ______________

26A Using both ways you have learned to say the date, write two complete sentences for each of the dates below.

Modèle 12/03
C'est le douze mars.
Nous sommes le douze mars.

1. 04/05

____

____

2. 11/12

____

____

3. 19/01

____

____

4. 07/08

____

____

5. 08/07

____

____

6. 21/02

____

____

Nom: ______________________________ Date: ______________

27A Write a complete sentence stating the date of each of the following events.

Modèle Noël
C'est le 25 décembre.

1. le Nouvel An

____

2. la Saint Valentin

____

3. la fête nationale aux États-Unis

____

4. la fête nationale en France

____

5. la fête des pères

____

6. Halloween

____

7. la fête de la St Patrick

____

8. ton anniversaire

____

Nom: ________________________________ Date: ______________

28A Fill in the blanks with the correct form of the appropriate **avoir** expression.

avoir besoin (de)　　avoir… ans　　avoir faim　　avoir soif

1. Nayah a cours d'éducation physique. Elle ____________________ chaussures de sports.
2. Quel âge a ton meilleur ami? Il ____________________.
3. Tu voudrais une quiche et un croque monsieur. Tu ____________________!
4. Vous jouez au foot et il fait beau. Vous ____________________?
5. Quel âge as-tu? ____________________.
6. Les Français ____________________ un ticket de métro pour prendre le métro.
7. Patricia ____________________; elle finit la bouteille d'eau!
8. Moi, j' ____________________ deux cahiers pour mon cours de sciences.

29B Use the information given to answer the questions below. Make sure to answer in complete sentences.

1. Gabrielle a 16 ans. Elle a deux ans de différence avec sa grande sœur. Quel âge a la sœur de Gabrielle?

   ____

2. Roman a 36 ans quand il a un bébé. Maintenant, son fils a six ans. Quel âge a Roman aujourd'hui?

   ____

3. Valentine et Assia sont meilleures amies. Elles ont le même âge. Leur meilleur ami, Bertrand, a 15 ans. Il a le même âge que Nasser. Nasser a un an de différence avec sa petite sœur Assia. Quel âge ont Valentine et Assia?

   ____

4. Les enfants de Paul ont dix ans de plus que la fille de son cousin, qui a trois ans. Quel âge ont les enfants de Paul?

   ____

Nom: ______________________________ Date: ______________

30A Say what each person offers Jérémy for his birthday, based on the illustrations below.

Modèle 

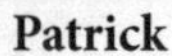

Patrick

Patrick offre un livre.

1. M. et Mme Lafont

2. vous

3. son grand-père

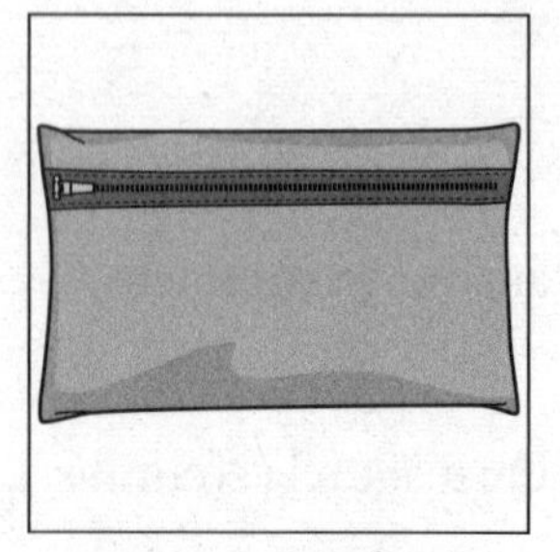

4. sa cousine

5. moi

6. toi

7. ses sœurs

1. ______________________________

2. ______________________________

3. ______________________________

4. ______________________________

5. ______________________________

6. ______________________________

7. ______________________________

Nom: ________________________________ Date: ______________

Leçon C

31A Write the feminine form of the masculine professions, and the masculine form of the feminine professions.

1. un pâtissier

____

2. une cuisinière

____

3. un homme d'affaires

____

4. une chanteuse

____

5. un médecin

____

6. un acteur

____

7. une athlète

____

8. un ingénieur

____

9. un graphiste

____

10. un testeur de jeux vidéo

____

Nom: ______________________________ Date: ______________

32B Name the professions of the following people, according to the illustrations.

Modèle

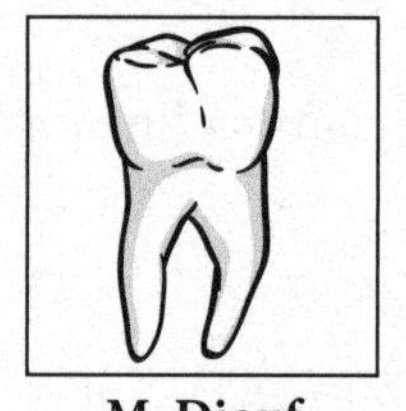

M. Diouf

M. Diouf est dentiste.

1. Mme Larcène

2. M. et Mme Gaillard

3. Mme Zarif

4. M. Traore

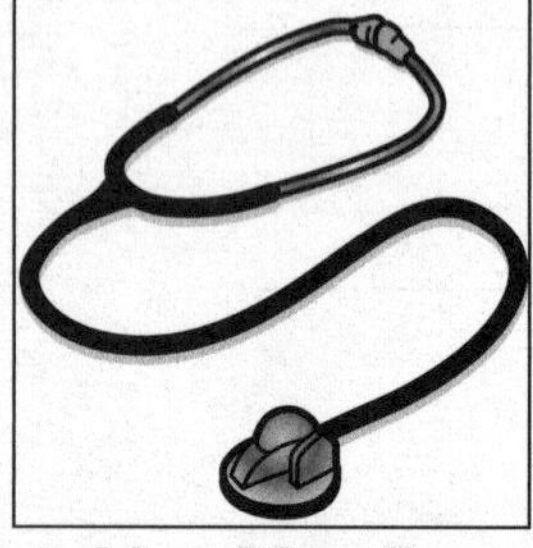

5. M. et Mme Boyer

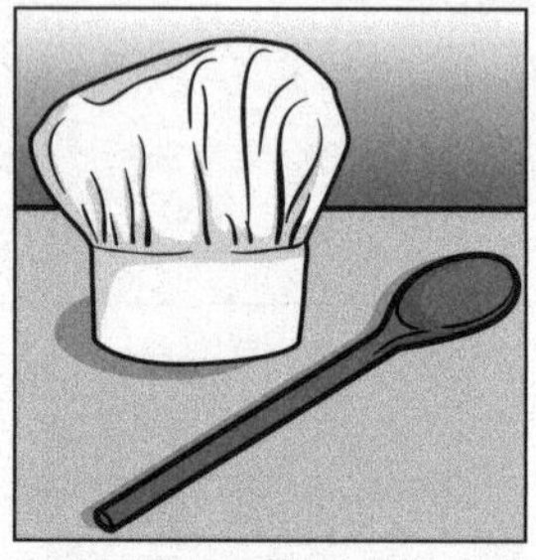

6. Mme Rouvière

7. Mme Yayaoui

8. M. N'gong

1. ______________________________
2. ______________________________
3. ______________________________
4. ______________________________
5. ______________________________
6. ______________________________
7. ______________________________
8. ______________________________

Nom: ______________________ Date: __________

33A Write the corresponding questions for each of the answers below.

1. ______________________________

   Je suis ingénieur.

2. ______________________________

   Nous venons de Mauritanie.

3. ______________________________

   Non, je ne viens pas de France. Je viens du Québec.

4. ______________________________

   Oui, les nouveaux élèves sont français.

5. ______________________________

   Nous sommes graphistes.

6. ______________________________

   Salut Ahmed, je suis avocat.

7. ______________________________

   Oui, ma mère est algérienne.

8. ______________________________

   Non, mes cousins ne viennent pas des États-Unis. Ils viennent du Canada.

Nom: ______________________________ Date: ______________

34B Use the information given below to introduce each person or group of people. Make sure to use the appropriate form of the profession, based on gender and number.

Modèle Isabelle, avocat, New York
Je vous présente Isabelle. Elle est avocate, et elle vient de New York.

1. Malika, dentiste, Paris

____

2. Myriam, chanteur, Martinique

____

3. Jean-Luc, athlète, Haïti

____

4. Sophie et Gisèle, médecin, Amsterdam

____

5. John et Louie, acteur, Chicago

____

6. Noémie, cuisinier, Djibouti

____

7. Saniyya, metteur en scène, Israël

____

Nom: ______________________________ Date: ______________

35 Label the following French-speaking countries on the world map below. Refer to the **Points de départ** in **Leçon C**.

le Sénégal	la Côte d'Ivoire	le Cameroun	le Bénin
le Togo	le Gabon	le Burkina Faso	le Mali

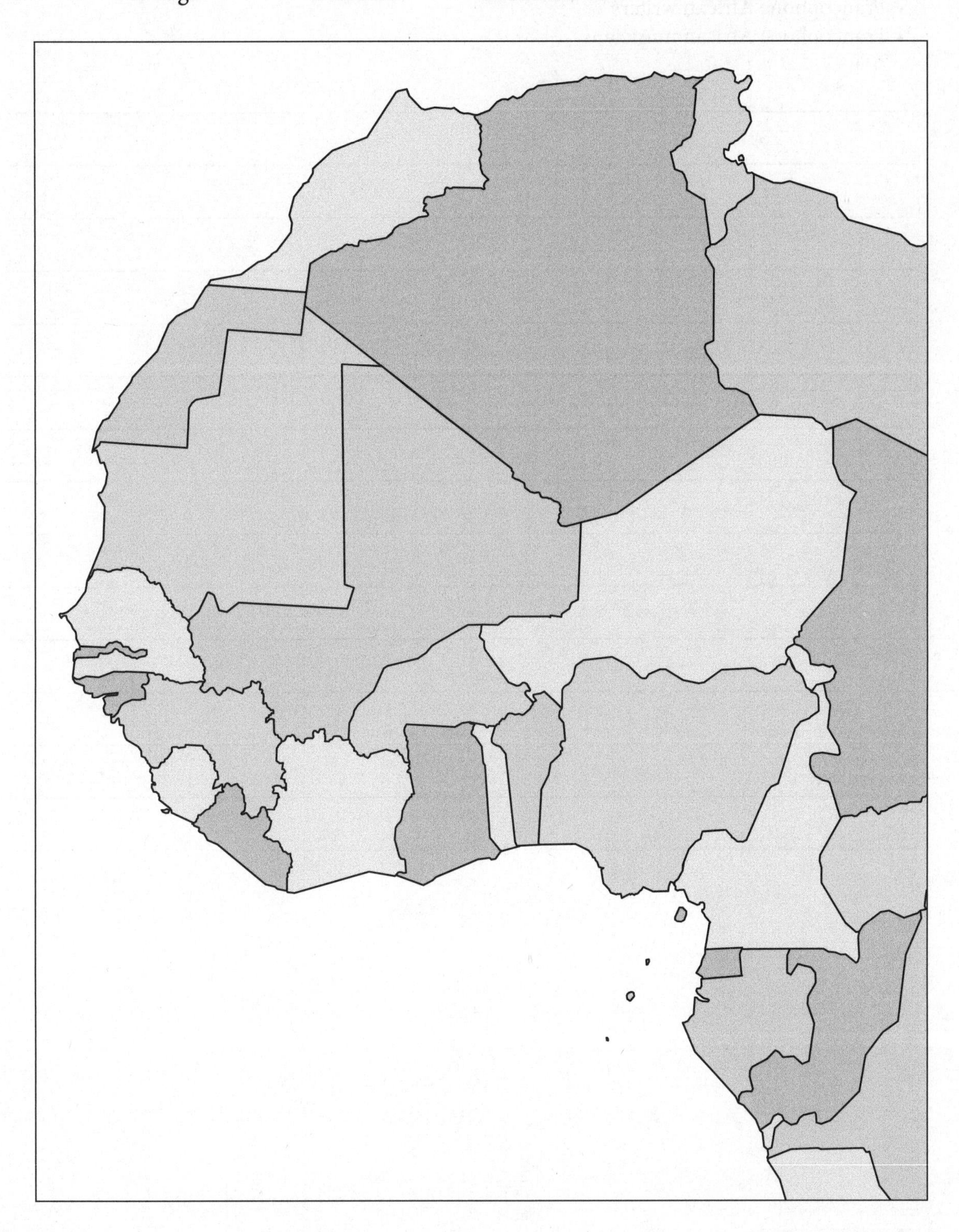

Nom: ______________________________ Date: ______________

36 Write a profile of Africa's economy, based on the information in the **Points de départ** in **Leçon C**. In your profile, make sure to cover the following topics:

- agricultural production
- energy resources
- mineral resources
- Francophone African writers
- Francophone African musicians

____

____

____

____

____

____

____

____

____

____

____

____

____

____

____

Nom: ______________________________ Date: ______________

37A Complete the following sentences using **c'est**, **ce sont**, **il/elle est** or **ils/elles sont**.

MODÈLE **C'est** un footballeur.

1. ______________________ médecin.
2. ______________________ architecte.
3. ______________________ une étudiante française.
4. ______________________ un homme d'affaires.
5. ______________________ avocats en Italie.
6. ______________________ cuisinière au lycée Pascal.
7. ______________________ une athlète diligente!
8. ______________________ testeur de jeux vidéo.
9. ______________________ des hommes d'affaire intelligents.
10. ______________________ un grand médecin!
11. ______________________ chanteuses.
12. ______________________ des agents de police algériens.

Nom: ______________________________ Date: ______________

38B Use **c'est** or **ce sont** to state the professions of the following people, and then use **il/elle est** or **ils/elles sont** to state their nationalities.

MODÈLE graphistes/Québec
Ce sont des graphistes. Ils sont québécois.

1. testeurs de jeux vidéo/France

____

2. athlète/Canada

____

3. avocates/États-Unis

____

4. ingénieurs/France

____

5. agent de police/Cameroun

____

6. cuisiniers/Bénin

____

7. chanteuse/Sénégal

____

Nom: ______________________________ Date: ______________

39A Complete the following sentences using the correct form of the verb **venir**.

1. Quand est-ce que tu ____________________?
2. Je ____________________ le 6 juin.
3. Vous ____________________ d'où?
4. Nous ____________________ de Guadeloupe.
5. Quand est-ce que grand-mère ____________________ à la maison?
6. Elle ____________________ demain.
7. Quand est-ce qu'Alix ____________________ à la teuf?
8. Mon oncle et ma tante ____________________ ce soir.

40A Use **du**, **de la**, **de l'**, **de**, or **des** to complete the following sentences.

1. C'est le livre __________ professeur de français.
2. C'est le premier jour __________ mois.
3. C'est la semaine __________ sport.
4. C'est le meilleur cinéma __________ Paris.
5. C'est un film __________ action.
6. Tu as le numéro de téléphone __________ filles de la teuf?
7. C'est un super cadeau __________ anniversaire.
8. Non, ne ne venons pas __________ Canada, nous venons __________ États-Unis.
9. Oui, c'est le copain __________ cousine __________ beau-frère de Marie-Pierre.

Nom: ______________________________ Date: ______________

41 Write a paragraph about one of your family members. Describe him or her physically and talk about where he or she is from, what he or she does for a living, how old he or she is, what his or her hobbies are, etc. Write a minimum of eight sentences.

Nom: ______________________ Date: ______________

Unité 6: La rue commerçante

Leçon A

1A Identify each item of clothing pictured below by writing the letter of the item next to its name.

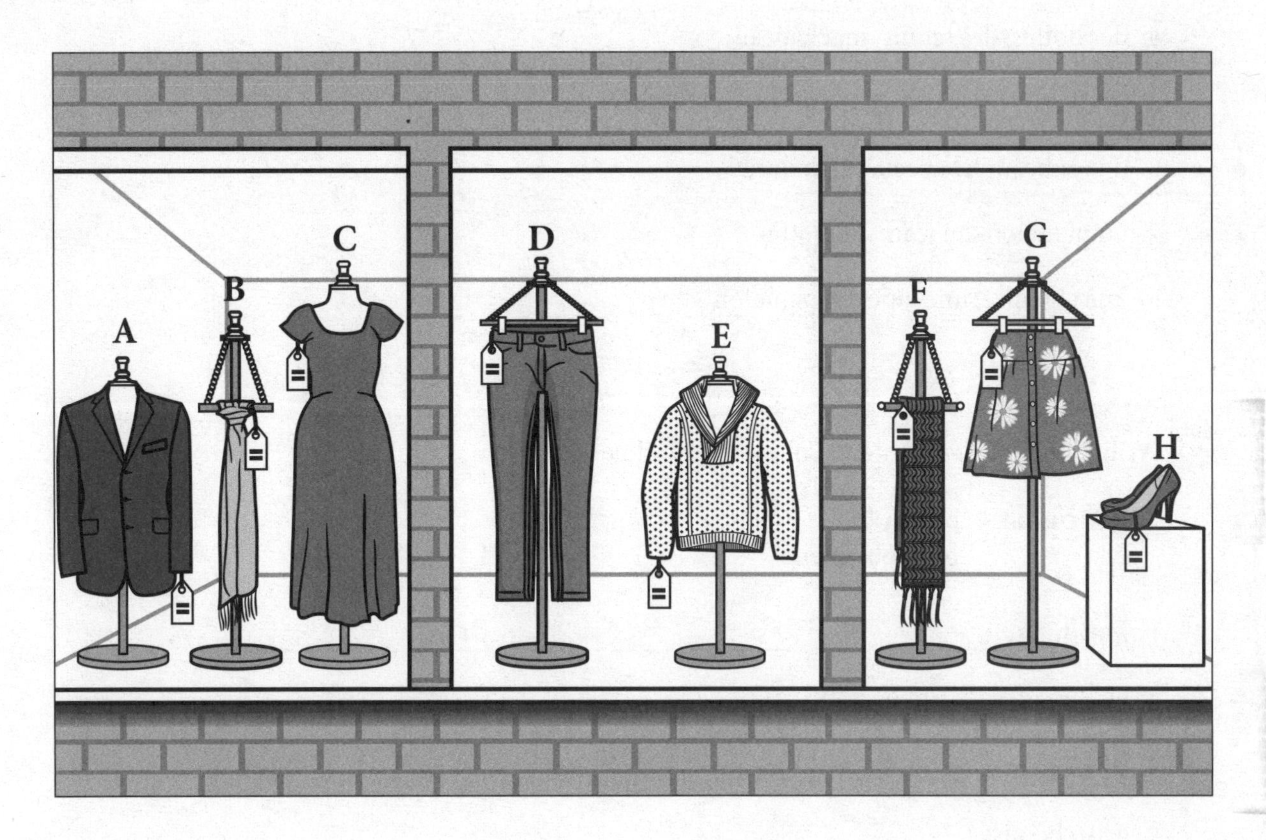

1. une jupe G
2. un pantalon D
3. une écharpe F
4. un pull E
5. des chaussures H
6. une veste A
7. une robe C
8. un foulard B

Nom: ______________________________ Date: ______________

2A Circle the vocabulary word that does not belong with the other two.

1. une jupe, une robe, un pantalon
2. un pull, un jean, une chemise
3. un maillot de bain, un jean, un pantalon
4. des bottes, des tennis, un chapeau
5. une veste, un tee-shirt, un manteau
6. une robe, un chapeau, un foulard
7. un pantalon, un jean, des bottes
8. une chemise, une jupe, un pantalon

3A Write the color of each item. Follow the **Modèle**.

Modèle bleu/robe
une robe bleue

1. noir/jupe ______________________________
2. blanc/pull ______________________________
3. vert/écharpe ______________________________
4. gris/chemise ______________________________
5. rose/foulard ______________________________
6. violet/tennis ______________________________
7. marron/chaussures ______________________________
8. bleu/pantalon ______________________________

Nom: ______________________________ Date: ______________

4B Answer the following questions in complete sentences. Follow the **Modèle**.

Modèle Vous cherchez un pull de quelle couleur? (rouge)
Je cherche un pull rouge.

1. Ton ami(e) et toi, vous cherchez un maillot de bain de quelle couleur? (beige)

____

2. Tu as une écharpe de quelle couleur? (noir)

____

3. Ta copine cherche un pantalon de quelle couleur? (jaune)

____

4. Ton père voudrait une chemise de quelle couleur? (violet)

____

5. Tes amis et toi, vous avez un jean de quelle couleur? (bleu)

____

6. Tu aimes les vestes de quelle couleur? (blanc)

____

7. Tu n'as pas de manteau de quelle couleur? (orange)

____

8. Tu offres des chaussures de quelle couleur à ta mère? (gris)

____

Nom: ______________________________ Date: ______________

5B Describe what the following people wear for the occasions listed.

MODÈLE mon oncle/son anniversaire
Pour son anniversaire, mon oncle a un jean bleu, une chemise blanche, et des chaussures noires.

1. ma mère/aller au bureau du proviseur

____

____

2. mon grand-père/aller au parc

____

____

3. mon ami/aller à la teuf

____

____

4. mon amie/aller à la teuf

____

____

5. moi/l'école

____

____

Nom: ______________________________ Date: ______________

6 Do the following activities. Refer to the **Points de départ** in **Leçon A**.

1. Go on the Internet and type the words **Magasin Darty** into your favorite search engine. Go to the store's website and write down four kinds of food products they sell.

   ____

   ____

2. Can you purchase movie tickets through the store's website?

   ____

3. Can you purchase books through the store's website?

   ____

4. Compare the prices of TVs at **Magasin Darty** with the prices of TVs at a similar store in the United States. Are prices higher, lower, or about the same?

   ____

7 Fill out the following profile of **Le marché aux puces de St. Ouen** according to the **Points de départ** in **Leçon A**.

1. Où: ______________________________
2. Heures d'ouverture: ______________________________
3. Nombre de marchés: ______________________________
4. Nombre de stands: ______________________________
5. Que signifie l'expression: "aller aux puces?"

   ____

Nom: ______________________________ Date: ______________

8 Refer to the **Points de départ** in **Leçon A** to determine whether the following sentences are true (**vrai**) or false (**faux**).

1. Dior est un grand couturier. ______________________
2. Les collections ont lieu quatre fois par an. ______________________
3. Jean-Paul Gaultier habille Madonna. ______________________
4. Une robe peut valoir un million d'euros. ______________________
5. Chaque pièce est unique. ______________________

9A Draw lines to match the subjects in the left column with the phrases in the right column to form the most logical sentences.

1. Pierre et moi...	A. ...achètent des jupes à la mode.
2. Les filles...	B. ...n'achetez pas un chapeau?
3. Moi, j'...	C. ...achètes un pull très moche.
4. M. Tort, vous...	D. ...achetons un jean pour sa sœur.
5. Jacques et Karim...	E. ...achetons un sandwich.
6. Toi et moi...	F. ...achètent des vestes.
7. Toi, tu...	G. ...achètent une carte cadeau pour leur tante.
8. Les garçons...	
	H. ...achète un cadeau pour mon père.

Nom: ______________________________ Date: ______________

10A Complete the following sentences with the correct form of the verb **acheter**.

1. Je voudrais aller à la piscine avec toi, alors j'________________ un maillot de bain.
2. Tu ________________ une veste pour Bilal.
3. Oncle Paul ________________ des chaussures pour l'anniversaire de mon père.
4. Elle ________________ un jean bleu pour aller avec sa veste.
5. Nous n'________________ pas de tennis dans ce magasin.
6. Vous ________________ un joli chapeau noir et gris!
7. Mes copains ________________ des vêtements au centre commercial.
8. Elles ________________ des pulls.

11A Fill in the empty spaces in the paragraph below, using the correct form of **vouloir**.

Salut, je (1) ________________ aller faire du shopping avec Alexis et Camille. Est-ce que vous (2) ________________ venir avec moi? On (3) ________________ acheter des vêtements. Alexis (4) ________________ un pantalon pour 20 euros. Camille et moi, nous (5) ________________ des CD pour dix euros. Alexis et Luc (6) ________________ 30 euros pour acheter des pulls, mais leurs parents ne (7) ________________pas donner plus de 20 euros.

Nom: ______________________________ Date: ______________

12B Create sentences to answer the following questions. Use the correct form of the verb **vouloir**.

1. Tes amis et toi, qu'est-ce que vous voulez faire ce weekend?

   ____

2. Qu'est-ce qu'elle veut faire après l'école, ta sœur?

   ____

3. Qu'est-ce qu'il veut le prof de chimie?

   ____

4. Les enfants, qu'est-ce que vous voulez manger?

   ____

5. Qu'est-ce que tu veux comme cadeau pour ton anniversaire?

   ____

6. Qu'est-ce qu'elles veulent, les filles?

   ____

7. Qu'est-ce que tu veux manger ce soir?

   ____

8. Ton meilleur ami et toi, vous voulez acheter de nouvelles chaussures?

   ____

Nom: ______________________________ Date: ______________

13A Answer the following questions using the correct demonstrative adjective.

MODÈLE  Tu voudrais ce pull ou cette chemise?
cette chemise

1.

2.

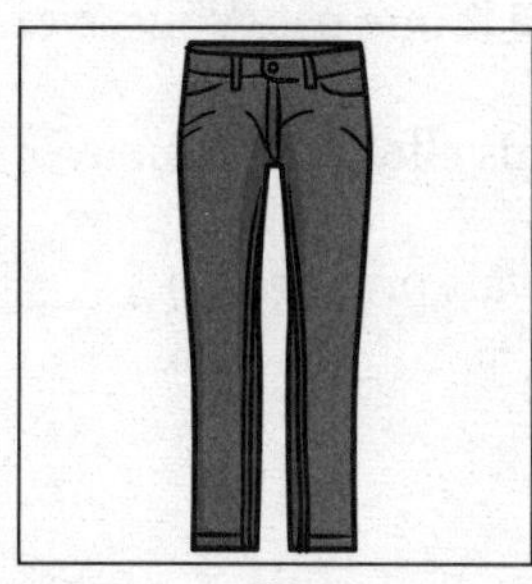
3.

4.

5.

6.

7.

1. Vous voulez ces vestes ou ces chemises? ______________________________

2. Tu veux ce foulard ou cette écharpe? ______________________________

3. Joachim veut ces chaussures ou ce jean? ______________________________

4. On veut ces bottes ou ces tennis? ______________________________

5. Tu veux cette robe ou cette jupe? ______________________________

6. Tu veux cette chemise ou ce tee-shirt? ______________________________

7. Tu veux ce manteau ou cette veste? ______________________________

Nom: ______________________________ Date: ____________

14A Complete the dialogue with the correct demonstrative adjectives: **ce**, **cet**, **cette**, or **ces**.

-Bonjour monsieur, vous désirez essayer (1) __________ veste?

-Non, merci, mais (2) __________ pull-là, il coûte combien?

-35 euros. Il va avec (3) __________ écharpe.

-Ah, je ne l'aime pas. Vous avez (4) __________ tennis en gris?

-Non, mais elles vont bien avec (5) __________ pantalon, n'est-ce pas?

-Non, je vais prendre (6) __________ chemise grise et (7) __________ ensemble noir.

15B Ask questions to find out the price of each item. Follow the **Modèle**.

Modèle jupe/blanc
C'est combien, cette jupe blanche?

1. robe/bleu

____

2. tee-shirts/violet

____

3. maillot de bain/marron

____

4. pantalon/beige

____

5. veste/blanc

____

6. chapeau/rose

____

7. bottes/noir et gris

____

Nom: ______________________________ Date: ______________

Leçon B

16A You need to buy the following food items for a party you are hosting. Write each item under the name of the store in which it is sold so that you don't forget anything.

le café le beurre les pâtes le croissant le bœuf
le yaourt la soupe le saucisson le pain la mayonnaise
le gâteau au chocolat les œufs le poulet le pâté le camembert

À la boulangerie:
____
____
____
____

À la charcuterie:
____
____
____
____

À la pâtisserie:
____
____
____
____

À la crémerie:
____
____
____
____

À la boucherie:
____
____
____
____

Au supermarché:
____
____
____
____

Nom: ______________________________ Date: ______________

17B Say what the following people are having for dinner, based on the illustrations.

MODÈLE

Johnny

Johnny **mange du jambon, du saucisson, du pain, et de la moutarde.**

1. Maddie

2. le chat

3. M. Vacher

4. Dee

5. Mme Moen

1. Maddie ______________________________
2. Le chat ______________________________
3. M. Vacher ______________________________
4. Dee ______________________________
5. Mme Moen ______________________________

Nom: ______________________________ Date: ______________

18A Fill in the blanks with the appropriate expression of quantity from the list below.

tranche paquet pot morceau litre bouteille

1. un ____________________ de lait
2. une ____________________ de jambon
3. un ____________________ de gâteau
4. une ____________________ de pain
5. un ____________________ de yaourt
6. une ____________________ d'eau minérale
7. un ____________________ de pâtes
8. un ____________________ de moutarde
9. un ____________________ de fromage

19B Ask the sales clerk for the items on your list. You must ask for the correct quantities.

MODÈLE yaourt (3)
Je voudrais trois pots de yaourt, s'il vous plaît.

1. lait (2)

____

2. mayonnaise (1)

____

3. fromage (1)

____

4. saucisson (8)

____

5. confiture (2)

____

6. bœuf (6)

____

Nom: ______________________________ Date: ______________

20A Complete each sentence using one of the following adverbs of quantity: **assez de**, **trop de**, **beaucoup de**, **un peu de**, or **peu de**.

1. -Tu as ____________ pain?
   -Oui, ça va pour ce soir.

2. -Tu voudrais ____________ fromage pour ton sandwich?
   -Oui, merci bien.

3. J'ai ____________ soupe. Je n'ai plus faim.

4. J'ai ____________ pots de confiture. Tu en veux?

5. J'ai ____________ lait. J'en achète demain.

6. J'ai ____________ paquets de pâtes. J'en apporte.

7. -Tu as ____________ beurre?
   -Oui, j'en ai encore un kilo!

8. -Tu manges ____________ mayonnaise.
   -Je sais, j'adore ça!

21 Answer the following questions using the information in the **Points de départ** in **Leçon B**.

1. Allez en ligne et regardez les sites des magasins Carrefour, Auchan, Leclerc, et Intermarché. Dites quel est celui que vous préférez et pourquoi.

   ____

   ____

2. Faites des recherches et trouvez deux distinctions importantes pour chaque fromage:

   • la tome de Savoie: ____________________________

   • le muenster: ____________________________

   • le Comté: ____________________________

3. Donnez les mesures suivantes en utilisant le système métrique:

   • trois packs de lait: ____________________________

   • six canettes de coca: ____________________________

   • deux bouteilles de limonade: ____________________________

   • quatre plaquettes de beurre: ____________________________

Nom: ______________________________ Date: ______________

22 Go to a French forum online and ask three questions to see why French people still shop at small stores. You need at least three responses—write them in the space provided below. If you are having trouble joining a forum, do online research instead. Then share your research with the class.

1. ______________________________

____

2. ______________________________

____

3. ______________________________

____

23A Complete each sentence below by writing the appropriate form of **attendre** or **vendre**.

1. Nous ______________ nos amis devant le cinéma.
2. Noémie ______________ son père après l'école.
3. La pâtissierie ______________ les meilleurs tartes au citron!
4. Tu ______________ toujours à la boulangerie.
5. Non, nous ne ______________ pas de moutarde.
6. Ils ______________ du saucisson à la charcuterie.
7. Vous ______________ qui?
8. Oui, je ______________ mon ballon de foot.

Nom: ______________________________ Date: ______________

24B Rewrite the following sentences using the verb **vendre**. Follow the **Modèle**.

Modèle Tu achètes du pain. (M. Fleury)
M. Fleury vend du pain à la boulangerie.

1. Les Martin achètent des œufs. (Les Duclerc)

____

2. On achète du poulet. (vous)

____

3. Mon cousin achète des bouteilles d'eau minérale. (je)

____

4. Est-ce que vous achetez des croissants? (nous)

____

5. Je n'achète pas de gâteau. (tu)

____

6. Tu achètes toujours du beurre. (Mme Cheval)

____

7. Ma tante et moi, nous achetons du pâté de canard. (les Gaillot)

____

Nom: ______________________________ Date: ____________

25B Your friend needs the following items for a dinner party he is hosting, but he does not know where to buy them. Write your friend an e-mail to tell him which store sells each item.

du poulet	*du pain*
du pâté	*du camembert*
des petits gâteaux	*des tartes aux pommes*
du muenster	*des petites pizzas*
du jus de fruit	*du porc*

De:
À:
Objet:

Nom: ______________________________ Date: ______________

26A Replace the symbols in Raphaël's blog post with **un peu** (+), **assez** (++), **beaucoup** (+++), or **trop** (++++) to indicate how much he likes to do the things he mentions.

J'aime (1) +++ regarder des DVD et j'aime (2) ++ écouter de la musique électronique. J'aime (3) ++++ le groupe Daft Punk. Ma sœur aime (4) + faire du sport, et elle et ses amies aiment (5) +++ faire du shopping. Ma mère aime (6) ++ faire la cuisine, et elle aime (7) +++ faire la pâtisserie. Mon père et moi, nous aimons (8) ++++ manger des gâteaux.

Raphaël

1. ______________________________
2. ______________________________
3. ______________________________
4. ______________________________
5. ______________________________
6. ______________________________
7. ______________________________
8. ______________________________

Nom: ____ Date: ________________

27B Your parents have invited your best friend's family of four for dinner. Tell your mom if you think you have enough, too little, or too much of the following items, using **peu de**, **assez de**, or **beaucoup de**. Follow the **Modèle**.

MODÈLE Maman: Il y a cinq litres de lait.
Toi: **Il y a trop de lait!**

1. Maman: Il y a une tranche de jambon.

   Toi: ____

2. Maman: Il y a 18 yaourts.

   Toi: ____

3. Maman: Il y a un camembert, une tranche de Comté, et un morceau de bleu.

   Toi: ____

4. Maman: Il y a trois pots de mayonnaise.

   Toi: ____

5. Maman: Il y a une bouteille de coca.

   Toi: ____

6. Maman: Il y a un kilo de viande.

   Toi: ____

7. Maman: Il y a 125 grammes de beurre.

   Toi: ____

8. Maman: Il y a un gâteau.

   Toi: ____

Nom: ______________________________ Date: ______________

Leçon C

28A Classify each item below as **fruit** or **légume**.

une salade un pamplemousse un melon un poivron des cerises
des petits pois une pêche une aubergine des carottes

Fruit	Légume

29B Look at the illustration and complete the sentence below with what David and Nathalie are buying at the French market.

David et Nathalie achètent ______________________________

____

____

Nom: ______________________ Date: ______________

30A Circle the word that does not belong with the group.

1. poivrons, concombres, bananes
2. raisins, pamplemousses, courgettes
3. cerises, carottes, fraises
4. tomates, pêches, petits pois
5. carottes, pommes de terre, pommes
6. pamplemousse, aubergine, melon
7. fraises, cerises, haricots verts
8. oignon, orange, salade

31 Write **vrai** if the following statements are true, and **faux** if they are false. Refer to the **Points de départ** in **Leçon C**.

1. Les marchés ont lieu deux fois par semaine. ______________
2. On peut acheter des produits régionaux. ______________
3. On ne trouve pas de spécialités étrangères. ______________
4. On trouve aussi des produits bio. ______________
5. On ne trouve pas de pain et de gâteaux. ______________
6. Le marché est moins cher que les supermarchés. ______________
7. Les souks sont des marchés en Afrique du Sud. ______________
8. On trouve des produits alimentaires et artisanaux dans les souks. ______________
9. On trouve un mari ou une femme au souk. ______________

Nom: ______________________________ Date: ______________

32 Fill out the chart below about the **mouvement slow food.** Refer to the **Points de départ** in **Leçon C**.

Origine:	Date du mouvement:
Donnez trois exemples de produits régionaux.	Qu'est-ce qu'une alimentation diversifiée?
Donnez deux exemples de traditions gastronomiques en France.	

Nom: ______________________________ Date: ______________

33A Rewrite the sentences below, using the verb **acheter** and the partitive articles **du**, **de la**, or **de l'**. Follow the **Modèle**.

Modèle J'aime le melon.
J'achète du melon.

1. Nous aimons la glace.

____

2. Monique aime le porc.

____

3. Charles aime l'Orangina.

____

4. Ahmed et Chadia aiment le poulet.

____

5. Vous aimez la vanille, Mme Serpent?

____

6. Jules et toi, vous aimez le yaourt.

____

7. Moi, j'aime l'eau minérale.

____

8. Toi, tu aimes la pizza, n'est-ce pas?

____

Nom: ______________________________ Date: ______________

34B Answer the following questions using the partitive articles **du**, **de la**, or **de l'**, or the indefinite article **des**. Follow the **Modèle**.

Modèle Qu'est-ce que tu manges? (salade)
Je mange de la salade.

1. Qu'est-ce que vous prenez? (glace)

____

2. Qu'est-ce que vous achetez? (pain, eau minérale, et pommes de terre)

____

3. Qu'est ce que tu veux? (carottes, haricots verts, et poulet)

____

4. Qu'est-ce qu'ils mangent? (cerises et fraises)

____

5. Qu'est-ce qu'ils prennent? (légumes et fruits frais)

____

6. Qu'est que vous achetez? (soupe, courgettes, pêches, et coca)

____

Nom: ____ Date: ________________

35B Complete the following dialogue with the correct articles. You may or may not need a partitive article.

-Vous avez (1) __________ cerises?

-Pas aujourd'hui, mais nous avons (2) __________ tartes aux fraises.

-Non merci, je n'aime pas (3) __________ fraises, mais j'aime (4) __________ ananas. Je voudrais (5) __________ petits gâteaux aux ananas, s'il vous plaît.

-Très bien. Et quoi d'autre? (6) __________ fromage?

-Vous vendez (7) __________ camembert? J'adore (8) __________ camembert.

-Oui, monsieur. Vous prenez aussi (9) __________ jus de fruit?

-Non merci, (10) __________ eau minérale, s'il vous plaît.

36B You have just received the school cafeteria's menu for this week. Say what you will eat every day.

Modèle lundi: salade, bœuf, fruits
Lundi, nous allons manger de la salade, du bœuf, et des fruits.

1. mardi: jambon, frites, glace

____

2. mercredi: saucisson, pâtes, confiture

____

3. jeudi: courgettes, poulet, melon

____

4. vendredi: pommes de terre, quiche, gâteau au chocolat.

____

Nom: ______________________________ Date: ______________

37A Answer the following sentences in the negative. Follow the **Modèle**.

MODÈLE Tu achètes du pain?
Non, je n'achète pas de pain.

1. Vous avez de la tarte aux fraises?

____

2. Tu veux du coca?

____

3. Tu prends des fruits?

____

4. Vous mangez de la salade?

____

5. Vous prenez du café?

____

6. Tu as des ananas?

____

7. Vous voulez des pommes de terre?

____

8. On prend du jus d'orange?

____

Nom: ______________________________ Date: ______________

38B Complete the sentences to say what the following stores sell and do not sell, according to the illustrations. Follow the **Modèle**.

Modèle

La charcuterie **vend du poulet.**
La charcuterie ne vend pas de pain.

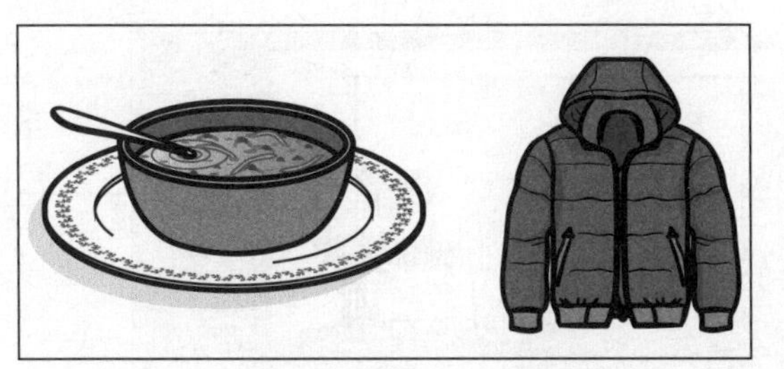

1.

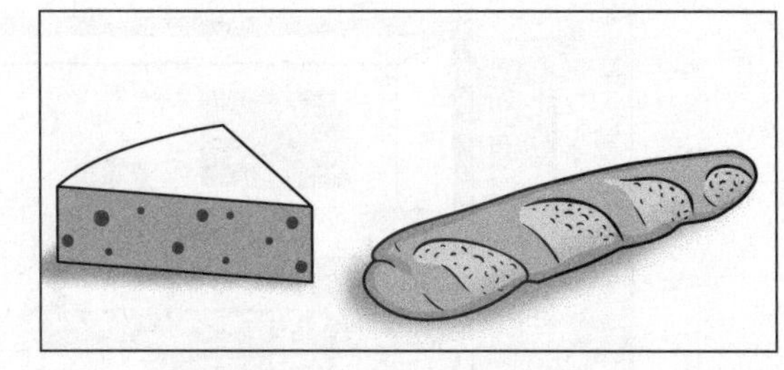

2.

3.

4.

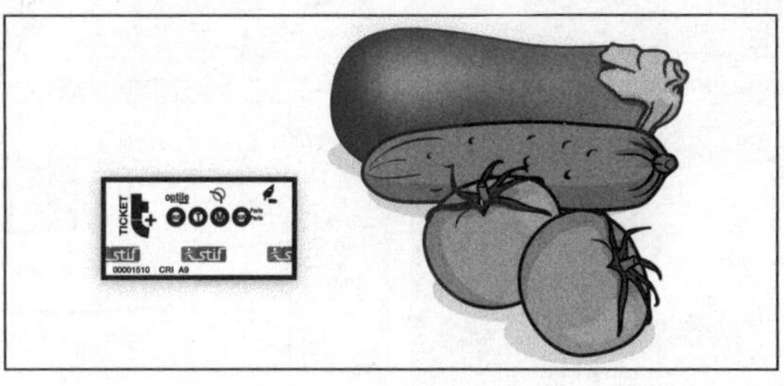

5.

1. L'épicerie ______________________________
2. La boulangerie ______________________________
3. La crémerie ______________________________
4. Le marché ______________________________
5. Carrefour ______________________________

Nom: ______________________________ Date: ______________

Unité 7: À la maison

Leçon A

1A Identify the rooms and the floor numbers in the illustration below.

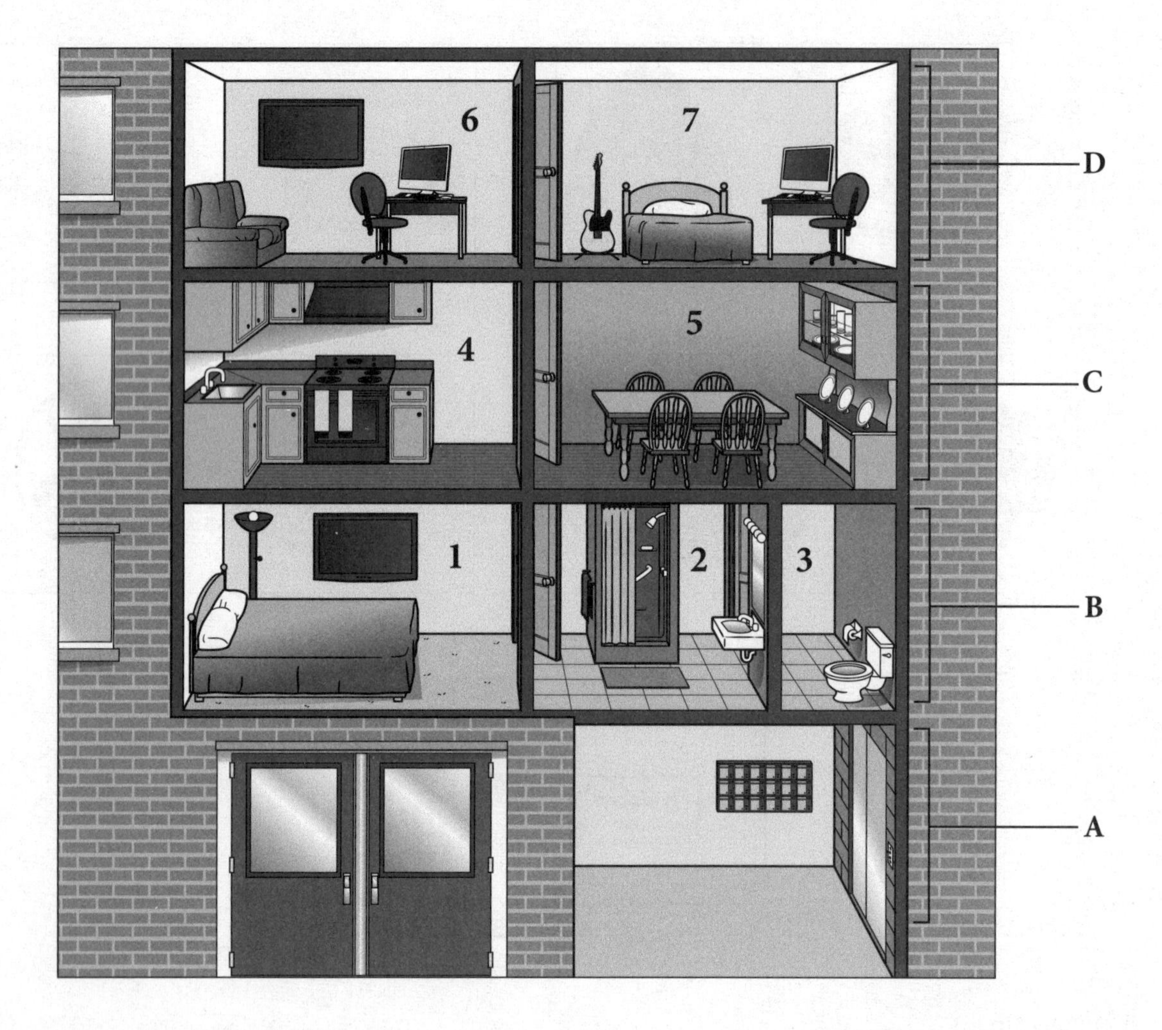

1. ______________________
2. ______________________
3. ______________________
4. ______________________
5. ______________________
6. ______________________
7. ______________________

A. ______________________
B. ______________________
C. ______________________
D. ______________________

Nom: ______________________________ Date: ______________

2A Next to the room, list its contents.

une cuisinière	une lampe	une table	un tapis	un évier	un frigo
un fauteuil	un micro-onde	un four	un placard	un canapé	

la cuisine: ______________________________

____

la salle de séjour: ______________________________

____

3A Fill in the blanks with the correct words.

tapis	appartement	pièces	salon	immeuble	chaises
ville	canapé	table	chambre	étages	fauteuil

L'appartement de ma sœur est dans une (1) ______________ sympa, Marseille.

C'est un très grand (2) ______________: il y a dix (3) ______________.

L' (4) ______________ de ma sœur a quatre (5) ______________, une

(6) ______________ pour elle et son mari, et une pour ses deux enfants. Il y a un

grand (7) ______________, un petit (8) ______________ moderne et un

(9) ______________ algérien dans le (10) ______________. Dans la cuisine,

il y a une grande (11) ______________ bleue avec des (12) ______________

jaunes. Les enfants aiment faire leurs devoirs quand maman fait la cuisine.

4B On a separate sheet of paper, draw a floor plan of your house or apartment and label each room in French. In each room, draw and label three pieces of furniture. Finally, write a sentence describing each room.

MODÈLE **Dans la salle à manger, il y a un micro-onde, une table, et six chaises.**

Nom: ____________________ Date: ____________

5B Answer the following questions in French. Make sure to use complete sentences.

1. Combien de pièces est-ce qu'il y a chez toi?

   ____

2. Dans quelle pièce est-ce qu'il y a une télé?

   ____

3. Comment est le salon?

   ____

   ____

4. Les toilettes sont où?

   ____

5. Qu'est-ce qu'il y a dans la cuisine?

   ____

6. Comment est ta chambre?

   ____

   ____

7. Dans quelle pièce aimes-tu faire tes devoirs?

   ____

8. Dans quelle pièce aimes-tu écouter de la musique?

   ____

Nom: ______________________ Date: ______________

6B Write a paragraph describing your favorite room in your house. Use adjectives to describe it, and mention at least eight objects or pieces of furniture. Say what you like about this room and what you do in it. Write a minimum of eight sentences.

____

____

____

____

____

____

____

____

____

____

____

____

____

____

7 Write the noun that matches each of the definitions below, according to the **Points de départ** in **Leçon A**.

1. une habitation bon marché ______________________
2. une grande tente en Algérie ______________________
3. quand on habite avec un ami ______________________
4. une maison algérienne autour (*surrounding*) d'un patio ______________________
5. une grande maison en terre (*earth*) au Maghreb ______________________

Nom: ______________________________ Date: ______________

8 Conduct online research to fill out the profile of Algeria below.

L'Algérie	
Situation géographique:	Situation historique:
Économie:	Langue:
Musique (citez deux musiciens ou chanteurs):	Littérature (citez deux écrivains):

9 Complete the following sentences using the appropriate word of North African origin. Refer to **Mon dico maghrébin** in the **Points de départ** in **Leçon A**.

1. J'aime un chanteur de raï. J'aime un ______________________.
2. J'habite dans un petit village. J'habite dans un ______________________.
3. Oui, j'adore le ______________________. J'aime beaucoup le mouton (*lamb*).
4. Je vais faire les courses au ______________________.
5. Je suis malade, alors je vais voir un ______________________.

Nom: ______________________________ Date: ______________

10A Ten students tried out for the tennis team this year, and the coach, Monsieur Lafonte, ranked them as follows. Write a sentence stating each ranking. Follow the **Modèle**.

Modèle Justine: 4
Justine est quatrième.

1. Nicolas: 5 ______________________________
2. Myriam et Ahmed: 7 ______________________________
3. Antoine: 1 ______________________________
4. Christian: 10 ______________________________
5. Khalid: 8 ______________________________
6. Danielle: 2 ______________________________
7. Pierre-Alain: 3 ______________________________
8. Marianne: 9 ______________________________
9. Sid: 6 ______________________________

11A Karim and Sarah are looking at pages of a photo album together. Complete the dialogue by spelling out each of the ordinal numbers.

Karim: Sur la (1) ____________________, c'est moi à 9 ans.

Sarah: Et là sur la (3) ____________________, c'est encore toi?

Karim: Oui, et là sur la (5) ____________________, je suis beau?

Sarah: Tu es bien beau sur la (7) ____________________.

Karim: Mais tu ne me vois pas, là, sur la (2) ____________________.

Sarah: Sur la (2) ____________________? Non, tu es où?

Karim: Je n'y suis pas mais je suis sur la (4) ____________________.

Sarah: Et sur la (6) ____________________ tu es où?

Nom: ____ Date: ________________

12B This apartment building houses an entire extended family. Use the illustration to complete the sentences below, making sure to spell out each ordinal number.

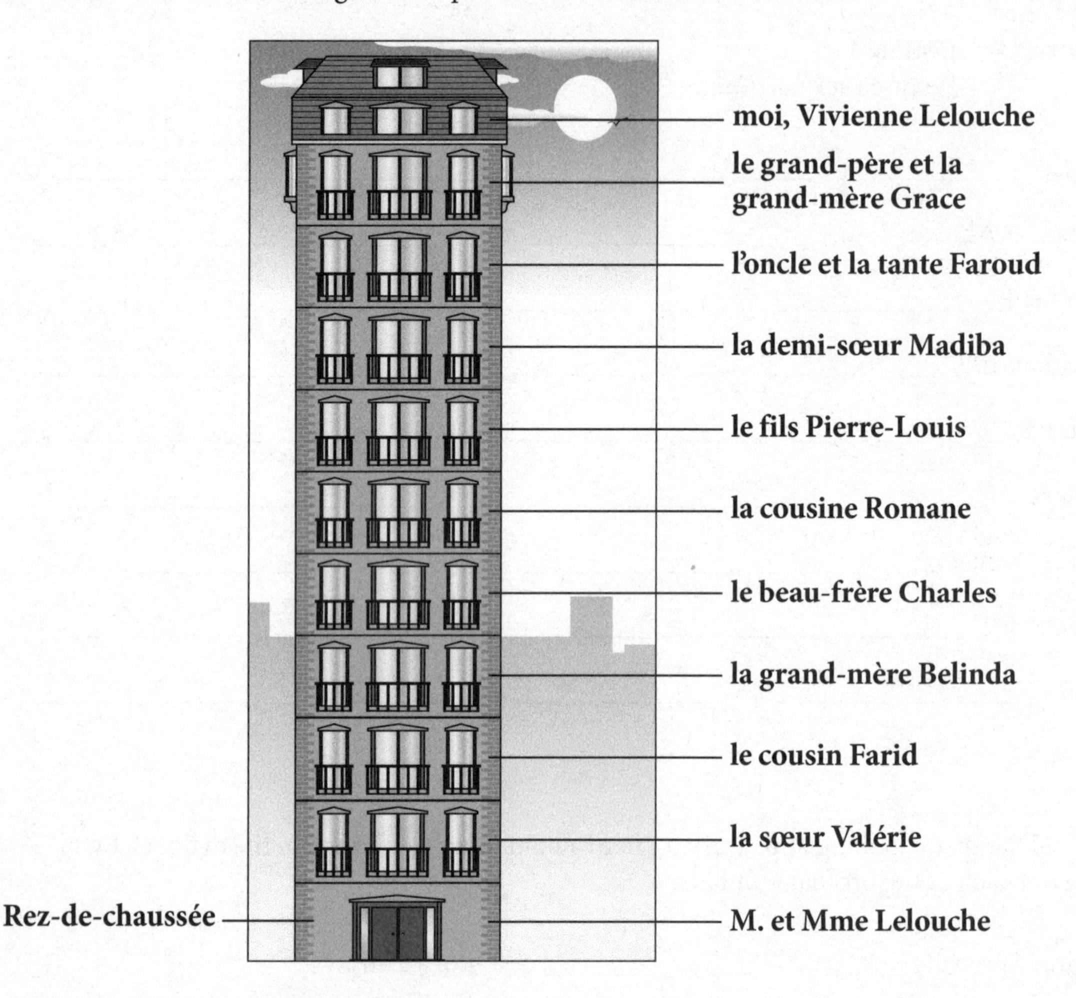

Toute ma famille habite dans le même immeuble: Au (1) ______________________, il y a ma sœur Valérie. Mes parents habitent au (2) ______________________. Mon grand-père et ma grand-mère favoris habitent au (3) ______________________ étage. Mon autre grand-mère habite au (4) ______________________ étage. Mon frère Pierre-Louis est au (5) ______________________ étage. Mon cousin est au (6) ______________________ et ma cousine au (7) ______________________. Mon beau-frère est au (8) ______________________ étage. Mon oncle et ma tante sont au (9) ______________________ étage, au dessus de ma demi-sœur, au (10) ______________________. Ah, et moi, bien sûr, j'habite au (11) ______________________ étage!

Nom: ______________________________ Date: ______________

13B Imagine that you are in France for ten days visiting your pen pal. Write a sentence to say what you do each day. Follow the **Modèle**.

MODÈLE **Le premier jour, je vois ma famille française pour la première fois.**

1. ______________________________
2. ______________________________
3. ______________________________
4. ______________________________
5. ______________________________
6. ______________________________
7. ______________________________
8. ______________________________
9. ______________________________
10. ______________________________

Nom: ______________________________ Date: ______________

Leçon B

14A Write the name of each object pictured below.

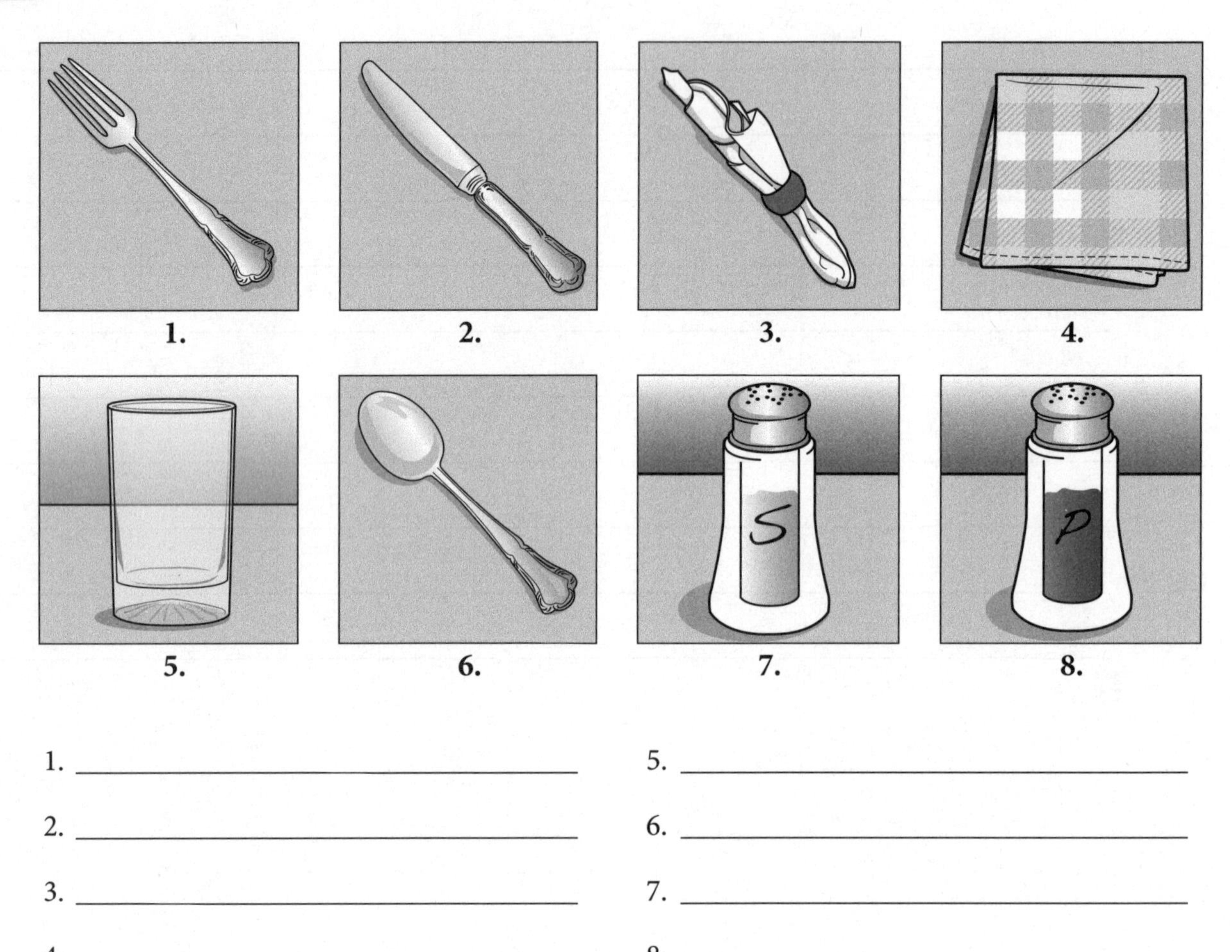

1. ______________________ 5. ______________________

2. ______________________ 6. ______________________

3. ______________________ 7. ______________________

4. ______________________ 8. ______________________

15A Circle the word that does not fit in each of the following groups.

1. une fourchette, une cuiller, une assiette
2. une tasse, le sucre, un verre
3. le sucre, le sel, le poivre
4. une serviette, une nappe, un bol
5. une assiette, une serviette, un bol
6. une cuiller, une tasse, le poivre
7. le dîner, le déjeuner, le goûter

Nom: ______________________________ Date: ______________

16A Answer the questions to describe where each item is located on the Duponts' table.

Modèle Où est le couteau par rapport (*in relation to*) à l'assiette?
Le couteau est à droite de l'assiette.

1. Où est la fourchette par rapport à l'assiette?

____

2. Où est l'assiette par rapport à la nappe?

____

3. Où est la serviette par rapport à l'assiette?

____

4. Où est le couteau par rapport à l'assiette?

____

5. Où est la tasse par rapport au couteau?

____

6. Où est la cuiller par rapport à l'assiette?

____

7. Où est la nappe par rapport à la table?

____

Nom: ______________________________ Date: ______________

17B Say what objects (dishes, silverware, condiments, etc.) you need to eat or drink each of the following things. Follow the **Modèle**.

Modèle un gâteau
J'ai besoin d'une assiette et d'une fourchette.

1. de la soupe

____

2. des spaghetti

____

3. un yaourt

____

4. un steak-frites

____

5. un coca

____

6. une salade

____

7. du café

____

8. un hamburger

____

Nom: ______________________ Date: ______________

18 Fill in the following profile of Marseille. Refer to the **Points de départ** in **Leçon B.**

Marseille	
Situation géographique (pays et région):	Activités économiques:
Nombre d'habitants:	Spécialités de la région:
Pays d'origine des immigrés:	Chanson nationale:

19 Find a recipe for a regional dish of Provence, and write down the list of ingredients you would need to prepare it.

Nom de la recette: ______________________

Ingrédients:

____

____

____

____

____

____

____

____

Nom: ________________________________ Date: ______________

20 Write a note to your best friend in French, using slang from your **dico provençal** in **Leçon B**. Your note should be at least five sentences long.

____

____

____

____

____

____

____

____

21A Complete the sentence below with the appropriate comparative words.

Modèle Le petit déjeuner est **plus** petit **que** le déjeuner.

1. La soupe de tomate est ____________ délicieuse ____________ la pizza.
2. Un ordinateur est ____________ cher ____________ un lecteur de DVD.
3. Les filles sont ____________ intelligentes ____________ les garçons.
4. Le port de Marseille est ____________ grand ____________ le port de Bordeaux.
5. La salade est ____________ élégante ____________ la salade niçoise.
6. Les crêpes sont ____________ françaises ____________ les hamburgers.

Nom: ______________________________ Date: ______________

22B Compare the following people in your family based on the qualities indicated.

Modèle ma grand-mère/charmant/ma mère
Ma grand-mère est aussi charmante que ma mère.

1. ma cousine/génial/mon cousin

____

2. ma tante/généreux/mon oncle

____

3. ma grand-mère/intelligent/mon grand-père

____

4. mon frère/intéressant/ma sœur

____

5. je/sympa/mon père

____

6. ma mère/énergique/ma tante

____

7. mon oncle/drôle/mon grand-père

____

23A Use the correct form of the verb **devoir** in the sentences below.

1. Qu'est ce que je ______________ faire?
2. Tu ______________ préparer le déjeuner.
3. Qu'est qu'elle ______________ étudier?
4. Vous ______________ étudier votre leçon de français.
5. Qu'est-ce que nous ______________ envoyer à grand-père?
6. Ils ______________ acheter du café au supermarché.
7. Qu'est-ce que vous ______________ visiter à Marseille?
8. On ______________ mettre la fourchette à gauche de l'assiette.

Nom: ______________________________ Date: ______________

24B Say that the following people must not do the following things. Use the correct form of the verb **devoir**.

Modèle Pierre/arriver en retard
Pierre ne doit pas arriver en retard.

1. Léo et Ben/parler en classe

 ____

2. Fatima et Aïcha/envoyer des textos

 ____

3. nous/faire les devoirs

 ____

4. tu/apprendre le vocabulaire

 ____

5. je/sortir le soir

 ____

6. elles/participer aux discussions

 ____

7. le professeur/apprendre les leçons

 ____

8. toi et moi/dormir pendant le cours

 ____

Nom: ____________________ Date: ____________

25B Use the phrases below to give advice to the following people. Use the correct form of the verb **devoir**.

apprendre à faire la cuisine	apprendre la musique	envoyer des invitations
beaucoup étudier	faire beaucoup de sport	préparer des menus
avoir un ordinateur	manger des fruits et des légumes	apprendre l'espagnol

MODÈLE Tu veux devenir un bon athlète.
Tu dois faire beaucoup de sport.

1. Ta copine veut devenir chanteuse.

____

2. Ton frère veut devenir professeur.

____

3. Tes cousins veulent ouvrir un restaurant français.

____

4. Nous voulons surfer sur Internet.

____

5. Ta sœur veut habiter en Espagne.

____

6. Je veux maigrir.

____

7. On veut organiser une teuf.

____

8. Mathilde veut faire une bouillabaisse.

____

Nom: ____ Date: ________________

26A Complete the following sentences with the correct form of the verb **mettre**.

1. Qui ________________ la table aujourd'hui?
2. Nous ne ________________ pas de pull; il fait trop chaud.
3. Le père et la mère de Djamel ________________ un DVD dans le lecteur de DVD.
4. On ne ________________ pas de bottes pour jouer au foot!
5. Vous ________________ un chapeau en hiver parce qu'il fait froid.
6. Je ________________ assez de moutarde sur mon hot-dog.
7. Est-ce que nous ________________ nos devoirs sur la table?
8. Vraiment? Tu ________________ un pantalon violet pour aller à la teuf?

27B Answer the following questions using the appropriate form of the verb **mettre**.

1. Qu'est-ce que tu mets pour aller à la teuf de tes amis?

   ____

2. Où mets-tu les cuillers pour le dîner?

   ____

3. Qu'est-ce que les élèves mettent pour la classe d'EPS?

   ____

4. Qu'est-ce que tes amis et toi mettez pour sortir en ville?

   ____

5. Où est-ce que les Français mettent les verres sur la table?

   ____

6. Qu'est-ce que mon amie et moi mettons pour aller à la piscine?

   ____

7. En France, qu'est-ce qu'on met à droite de l'assiette?

   ____

8. Qu'est-ce que ta mère met quand vous mangez de la soupe?

   ____

Nom: ______________________________ Date: ______________

Leçon C

28A Write the name of each of the items in Patrick's bedroom.

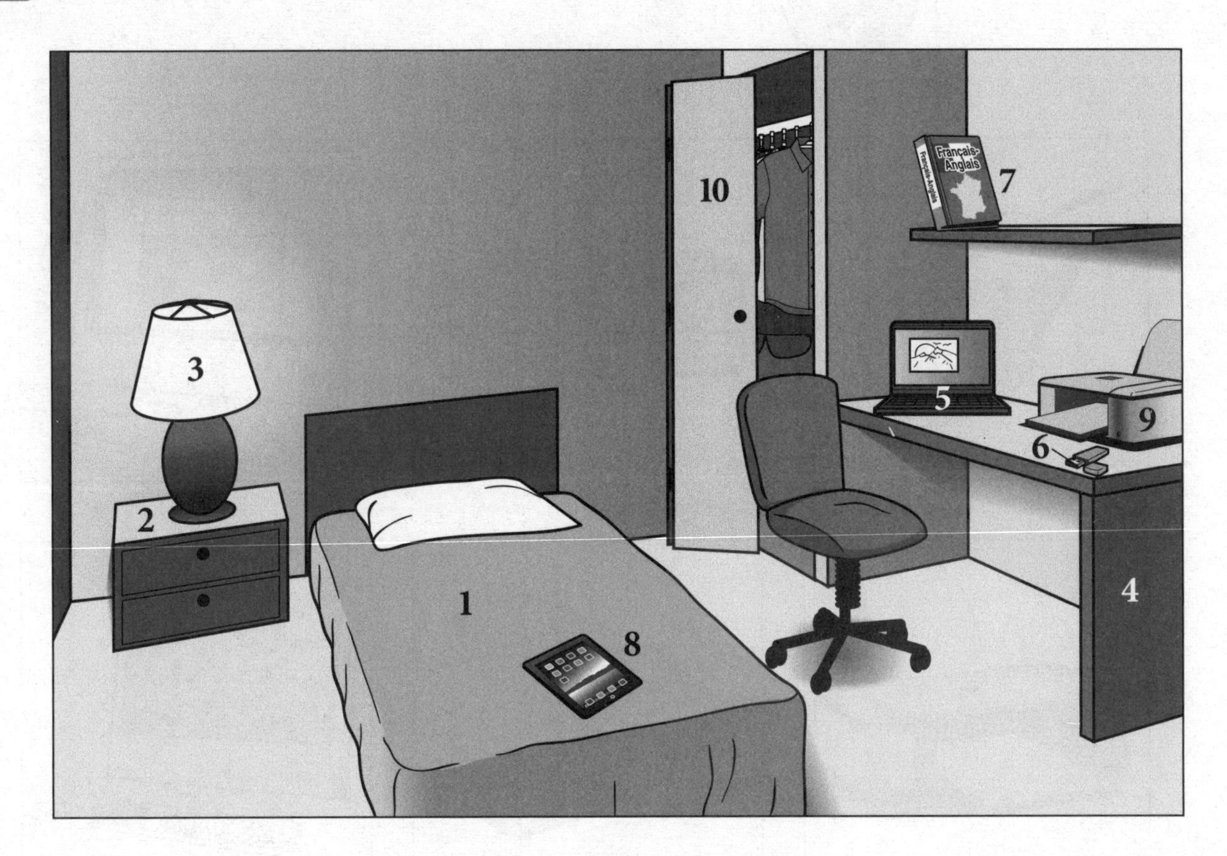

1. ______________________ 6. ______________________

2. ______________________ 7. ______________________

3. ______________________ 8. ______________________

4. ______________________ 9. ______________________

5. ______________________ 10. ______________________

Nom: ______________________ Date: ____________

29A Identify the following computer-related items.

Modèle 

un logiciel

1.

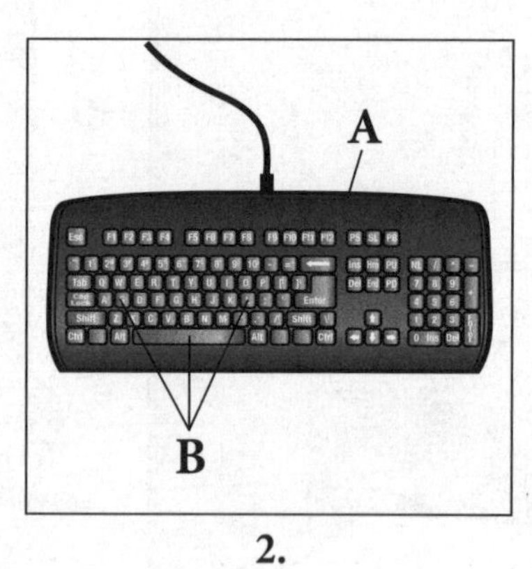

2.

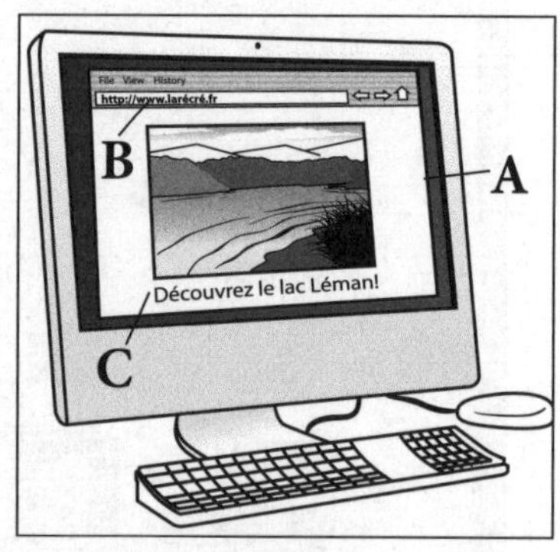

3.

4.

5.

6.

1. ______________________

2A. ______________________

2B. ______________________

3A. ______________________

3B. ______________________

3C. ______________________

4. ______________________

5. ______________________

6. ______________________

Nom: ____ Date: ____________________

30A Draw lines to match the verb in the left column with the noun in the right column to describe computer operations.

1. fermer	A. la souris
2. naviguer sur	B. un logiciel
3. télécharger	C. l'ordinateur
4. synchroniser	D. un film
5. démarrer	E. le site web
6. cliquer avec	F. le lecteur MP3
7. cliquer sur	G. un lien
8. ouvrir	

31A Put the following sentences in the correct order from 1–9.

A. Je télécharge un film. __________

B. Je démarre mon ordinateur. __________

C. Je clique avec la souris. __________

D. Je navigue sur le site. __________

E. Je paie. __________

F. Je synchronise mon lecteur. __________

G. Je ferme le logiciel. __________

H. Je trouve le film. __________

I. J'ouvre le logiciel. __________

Nom: ______________________________ Date: ______________

32B Answer the following questions in French.

1. Qu'est-ce que tu télécharges sur ton ordinateur?

   ____

2. Comment s'appelle ton logiciel préféré?

   ____

3. Pourquoi est-ce que tu surfes sur Internet?

   ____

4. Sur combien de liens est-ce que tu cliques pour télécharger une chanson?

   ____

5. Qu'est-ce que tu fais avec une clé USB?

   ____

6. Tu as une imprimante chez toi?

   ____

7. Comment est l'écran de ton ordinateur?

   ____

8. Tu fais tes devoirs sur ton ordinateur? Pourquoi?

   ____

9. Combien d'heures par jour passes-tu sur Internet?

   ____

10. Est-ce que tes amis téléchargent souvent des films en ligne?

    ____

Nom: ______________________________ Date: ______________

33 Use the charts below to compare your family with French families. Fill out the first chart according to the **Points de départ** in **Leçon C**, and fill out the second chart based on your own family. Then write a short comparison.

Les familles françaises			
On communique avec:	beaucoup	un peu	non
des textos			
des blogues			
on télécharge			
Il y a ______________ écrans en moyenne dans une maison française.			

Ma famille			
On communique avec:	beaucoup	un peu	non
des textos			
des blogues			
on télécharge			
Il y a ______________ écrans dans ma maison.			

Résultats de ma comparaison

Nom: ______________________________ Date: ______________

34 Refer to the **Points de départ** in **Leçon C** to correct the following sentences.

1. Les habitants de la Louisiane s'appellent les Acadiens.

   ____

2. Pendant le Grand Dérangement, les Anglophones sont chassés par les Francophones.

   ____

3. Le Québec est une province officiellement bilingue.

   ____

4. Aujourd'hui, les anciens Acadiens s'appellent les Québecois.

   ____

5. La population du Nouveau Brunswick est une population indigène.

   ____

6. Il y a des Cajuns au nord des États-Unis dans l'état de New York.

   ____

35 Complete the following sentences using the correct form of the verb **pouvoir**.

1. ________________-vous cliquer sur le lien?
2. Non, je ne ________________ pas.
3. ________________ -tu télécharger ce film?
4. Oui, je ________________ le faire.
5. Les Français ________________ acheter des vêtements en ligne sur le site de Carrefour?
6. Oui, ils ________________.
7. ________________-vous téléphoner avec Skype, chez toi?
8. ________________-on acheter un nouvel ordinateur, papa?

Nom: ______________________________ Date: ______________

36B Use the information from the office supplies website below to say what the following people can or cannot buy, using the verb **pouvoir**.

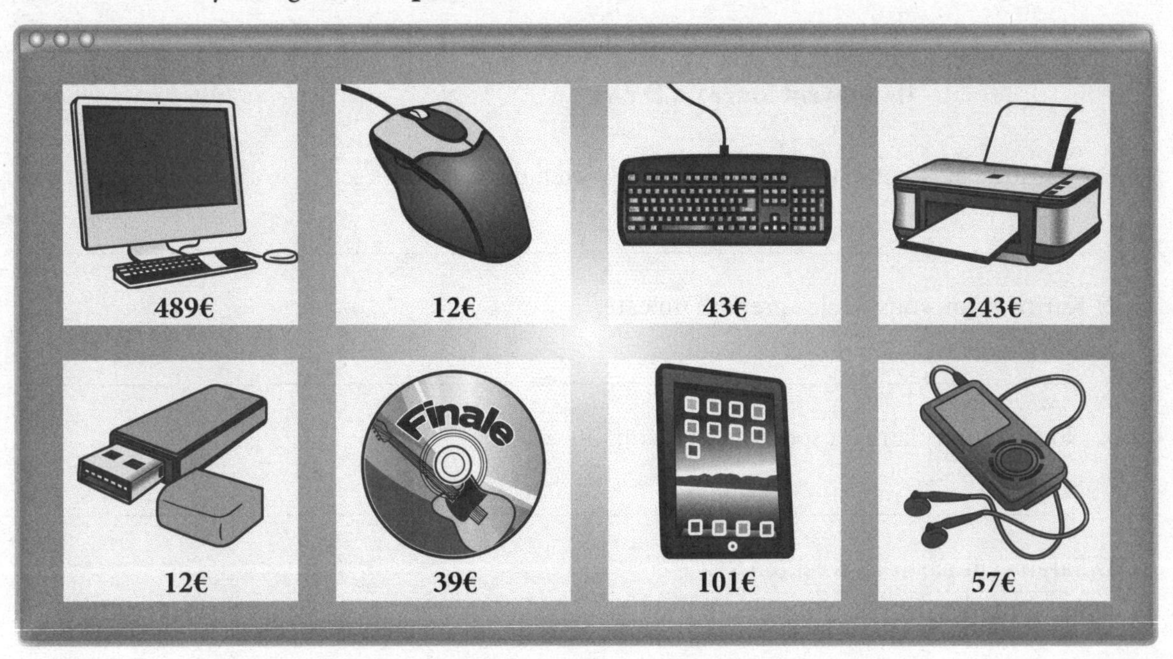

Modèle Nous avons 10 euros; nous voulons acheter une souris.
Nous ne pouvons pas acheter une souris.

1. Rahina a 15 euros; elle veut acheter une souris.

____

2. Marie-Paule a un billet de 500 euros; elle voudrait acheter quelque chose.

____

3. Les petits Michaux ont trois billets de 20 euros; ils veulent acheter une tablette.

____

4. Ma sœur et moi, nous avons 50 euros; nous voulons acheter un lecteur MP3.

____

5. Mes frères et moi, nous avons 70 euros; qu'est-ce que nous pouvons acheter?

____

6. M. et Mme Racette ont deux billets de 20 euros; ils veulent acheter une nouvelle souris pour leur ordinateur.

____

7. Tu as 20 euros; tu veux acheter un logiciel.

____

Nom: ______________________________ Date: ______________

37B Suggest what the people below can do, based on what they want to do. Use the correct form of the verb **pouvoir**.

Modèle Maxime et Pierre veulent voir un film.
Ils peuvent louer un DVD.

1. Charlotte et Noémie veulent aller voir le match de football.

 ____

2. Karim et toi, vous voulez prendre un café.

 ____

3. Nous voulons faire du sport avec tes copains.

 ____

4. Sarah veut partir en week-end.

 ____

5. Sarah et Yasmine ne veulent pas regarder la télévision ce soir.

 ____

6. Jean-Luc veut préparer le dîner.

 ____

7. Moi, je veux être meilleur en français.

 ____

8. Et toi, qu'est-ce que tu veux faire? Qu'est-ce que tu peux faire?

 ____

Nom: ______________________________ Date: ______________

38B Survey ten friends and neighbors to see what young people your age can or cannot do at home on a school night. Although you may survey your friends and family in English, write the questions and answers in French in the chart below. Then, on a separate sheet of paper, write the results of your survey. For example: **Soixante pour cent des ados peuvent surfer sur Internet après le dîner, mais quarante pour cent ne peuvent pas.**

	Questions	Nombre de réponses positives	Nombre de réponses négatives
1.	Est-ce que toi et tes frères et sœur pouvez surfer sur Internet après le dîner?		
2.			
3.			
4.			
5.			
6.			
7.			
8.			
9.			
10.			

Nom: ______________________________ Date: ____________

Unité 8: À Paris

Leçon A

1A Write the correct expression based on each weather icon.

Il fait beau. Il fait frais. Il pleut. Il fait du soleil. Il neige.
Il fait du vent. Il fait chaud. Il fait mauvais. Il fait froid.

1.

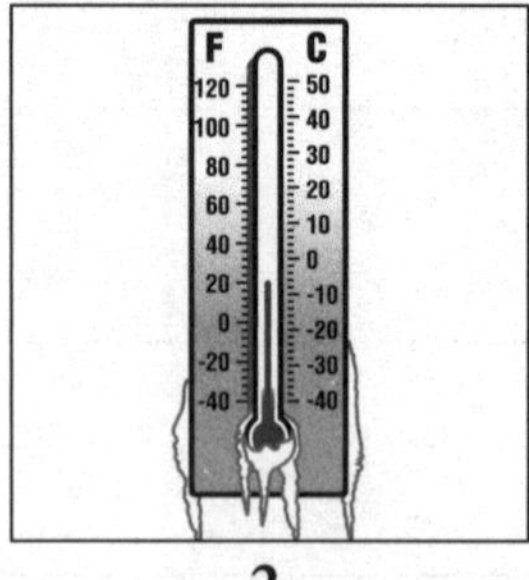

2.

3.

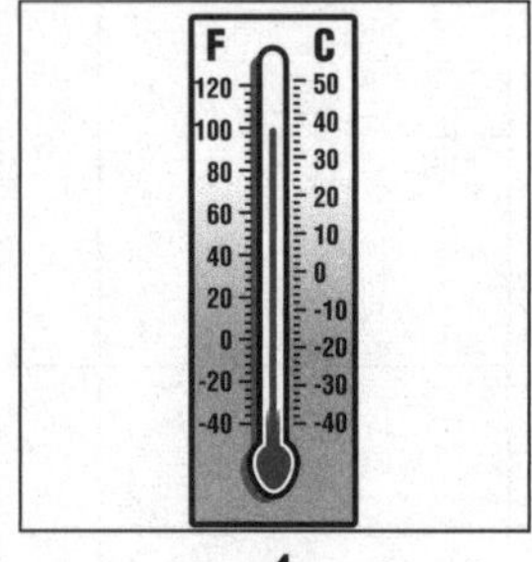

4.

5.

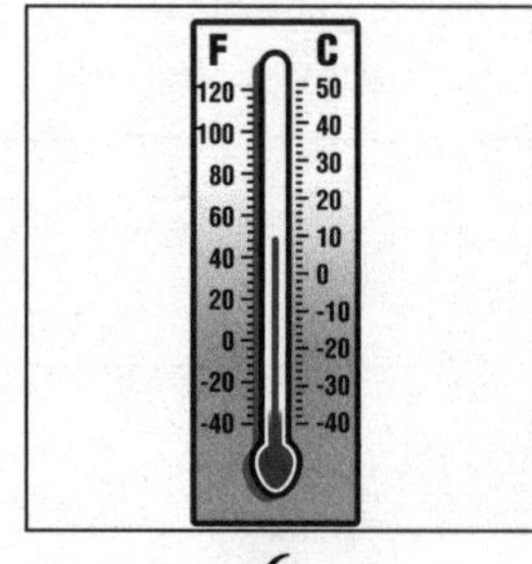

6.

7.

8.

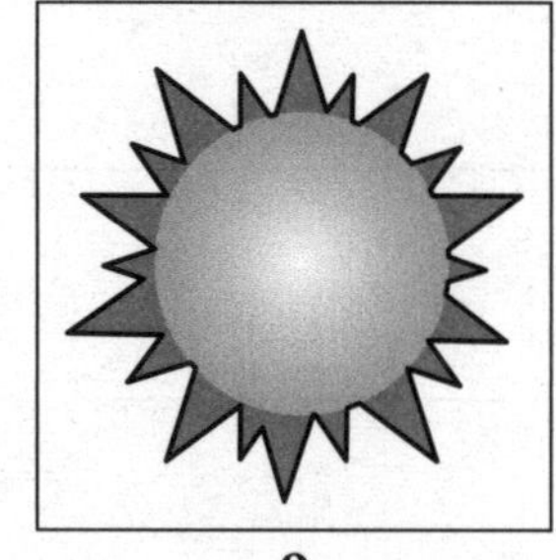
9.

1. ______________________________
2. ______________________________
3. ______________________________
4. ______________________________
5. ______________________________
6. 
7. ______________________________
8. ______________________________
9. ______________________________

Nom: ______________________ Date: ____________

2A Complete each sentence with the season in which the weather most commonly occurs.

1. Il neige ______________________
2. Il fait du soleil ______________________
3. Il fait du vent ______________________
4. Il pleut ______________________
5. Il fait chaud ______________________
6. Il fait froid ______________________
7. Il fait frais ______________________
8. Il fait mauvais ______________________
9. Il fait beau ______________________

3B Answer the following questions in French, using complete sentences.

1. Quel temps fait-il en automne, chez vous?

____

2. Quel temps fait-il quand on fait du ski?

____

3. Quel temps fait-il en août quand tu vas à la piscine?

____

4. Quel temps fait-il en décembre dans ta région?

____

5. Quel temps fait-il quand tu portes un short et un tee-shirt?

____

6. Quel temps fait-il quand tu as besoin d'un parapluie (*umbrella*)?

____

Nom: ______________________________ Date: ______________

4B Say what you wear or do not wear, based on the weather conditions described below. Follow the **Modèle**.

Modèle frais/mettre un manteau
Quand il fait frais, je mets un manteau.

1. neiger/mettre un chapeau

____

2. soleil/mettre un maillot de bain

____

3. froid/mettre un short

____

4. soleil/mettre un manteau

____

5. pleuvoir/mettre des bottes

____

6. vent/porter un chapeau

____

7. mauvais/mettre une jupe

____

8. frais/mettre un pantalon

____

9. chaud/mettre des bottes

____

Nom: ______________________________ Date: ______________

5A Answer the following questions. Follow the **Modèle**.

MODÈLE Quelle est la température? (17)
La température est de 17 degrés Celsius.

1. Quelle est la température? (13)

   ____

2. Quelle est la température? (10)

   ____

3. Quelle est la température? (7)

   ____

4. Quelle est la température? (21)

   ____

5. Quelle est la température? (-9)

   ____

6. Quelle est la température? (12)

   ____

7. Quelle est la température? (30)

   ____

8. Quelle est la température? (14)

   ____

Nom: ______________________________ Date: ______________

6B There are two ways to give the temperature in French. Rephrase the way the temperatures are given in the following sentences. Follow the **Modèles**.

Modèles La température est de 22 degrés Celsius.
Il fait 22 degrés Celsius.

Il fait 22 degrés.
La température est de 22 degrés.

1. Il fait 18 degrés aujourd'hui.

____

2. La température est de 6 degrés Celsius à Paris.

____

3. La température est de 25 degrés à Toulouse.

____

4. La température est de 2 degrés Celsius en hiver à Lyon.

____

5. Il fait 15 degrés aujourd'hui, il fait beau.

____

6. Il fait 25 degrés Celsius au Sénégal.

____

7. Il fait très froid, la température est de -5 degrés!

____

8. Il fait 11 degrés au printemps.

____

Nom: ______________________________ Date: ______________

7A Write the sound each animal makes.

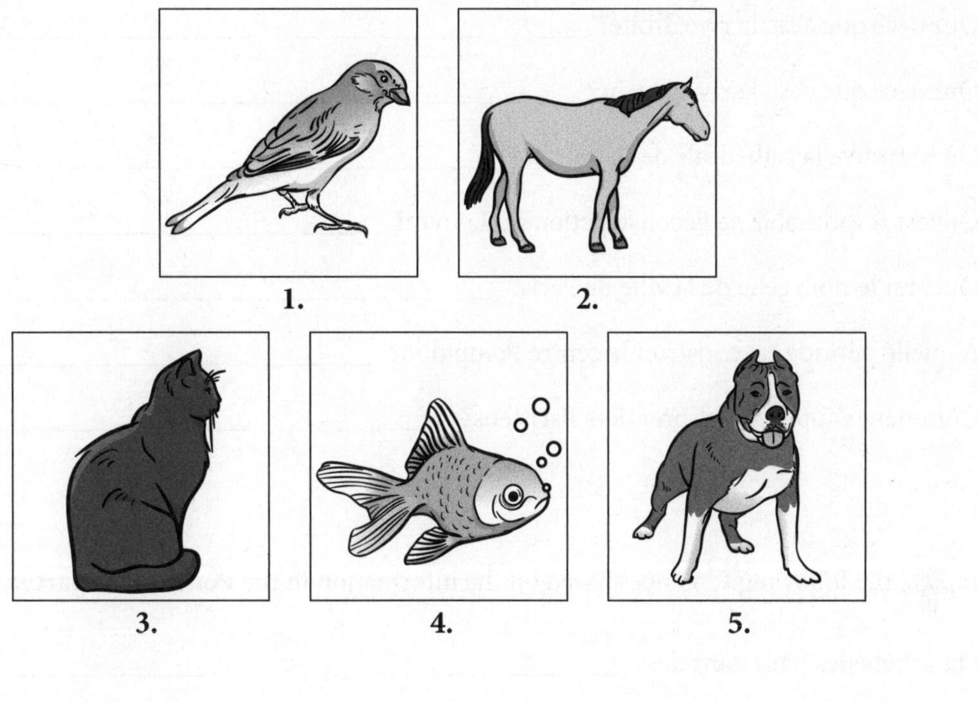

1. ______________________
2. ______________________
3. ______________________
4. ______________________
5. ______________________

8B Write the name of the animal that corresponds to each of the following descriptions.

1. Il aime le lait et il préfère dormir en hiver. ______________________
2. Il mange des carottes, des pommes, et du pain. ______________________
3. Il nage dans l'eau mais pas dans la piscine! ______________________
4. Il est très petit mais il ne nage pas. ______________________
5. Il est fort et n'aime pas le chat. ______________________

Nom: ______________________________ Date: ______________

9 Write short answers to each of the following questions. Refer to the **Points de départ** in **Leçon A**.

1. Qu'est-ce que c'est, la rive droite? ______________________________
2. Qu'est-ce que c'est, la rive gauche? ______________________________
3. Où se trouve la cathédrale de Paris? ______________________________
4. Qui est responsable de la construction du Louvre? ______________________________
5. Quel est le nom celte de la ville de Paris? ______________________________
6. À quelle période est construit le centre Pompidou? ______________________________
7. Comment s'appellent les premiers Parisiens? ______________________________

10 Complete the following sentences based on the information in the **Points de départ** in **Leçon A**.

1. On achète des flans dans des ______________________________.
2. Les religieuses sont des gâteaux ______________________________.
3. On peut acheter ______________________________ pour Noël.
4. On peut acheter ______________________________ pour l'Épiphanie.
5. La Durée est ______________________________ à Paris.
6. J'achète ______________________________ chez Angelina.

Nom: ____ Date: ________________

11 Fill out the following profile of Haiti.

Haïti	
Situation géographique:	Capitale:
Langues:	Particularité artistique:
Événement tragique:	Coût de la reconstruction de l'événement:

12A Complete the following sentences by writing the correct form of **faire**.

1. Qu'est ce que tu ________________?
2. Je ________________ la cuisine.
3. Et vous, vous ________________ quoi?
4. Nous ________________ du sport.
5. Et les filles, qu'est-ce qu'elles ________________?
6. Elles ________________ une promenade.
7. Et papa, qu'est-ce qu'il ________________?
8. Il ________________ les courses.

Nom: ______________________________ Date: ______________

13A Answer the questions affirmatively or negatively. Follow the **Modèle**.

Modèle Tu fais du sport?
Oui, je fais du sport.
ou
Non, je ne fais pas de sport.

1. Ton meilleur ami et toi, vous faites du patinage artistique?

____

2. Ta mère, elle fait de la gym?

____

3. Tes copines, elles font du shopping le weekend?

____

4. Toi, tu fais du roller?

____

5. Tes parents, ils font les courses ensemble?

____

6. Toi et ta famille, vous faites du ski en hiver?

____

7. Ton oncle, il fait la cuisine?

____

8. Toi et ton prof de français, vous faites du vélo?

____

Nom: ______________________ Date: ____________

14B Say what the following people are doing, according to the illustrations. Use the verb **faire**.

MODÈLE  **Jacques fait ses devoirs.**

Jacques

1. Amélie

2. M. et Mme Moreau

3. Farid et Ahmed

4. Noémie

5. M. Yen

6. toi et moi

1. ______________________
2. ______________________
3. ______________________
4. ______________________
5. ______________________
6. ______________________

Nom: ______________________________ Date: ______________

15B Say what the following people are doing, based on the descriptions of their situations. Choose an expression with **faire** from the list below. Follow the **Modèle**.

faire de la gym	faire les courses	faire ses devoirs	faire du footing
faire la cuisine	faire du vélo	faire du roller	faire du shopping

MODÈLE Jean a des rollers.
Il fait du roller.

1. Clara et Caroline ont faim.

____

2. Vous achetez des vêtements.

____

3. On va au cours de gym après l'école.

____

4. Tu as un contrôle demain.

____

5. Mon grand-père est athlète.

____

6. Je n'aime pas le roller; je préfère le vélo.

____

7. Nous avons besoin de lait et d'œufs.

____

Nom: ____ Date: _______________

16A Fill in the blanks with the appropriate **avoir** expression.

faim   soif   chaud   froid   envie de   besoin de/d'

MODÈLE Il est midi et j'ai **faim.**

1. Tu as ____________________ un stylo pour écrire!
2. Il fait 20 degrés Celsius. Nous avons ____________________.
3. Tu as ____________________ aller au cinéma?
4. En hiver, les chevaux ont ____________________.
5. Alice veut nager. Elle a ____________________ un maillot de bain.
6. Toi et moi, nous avons ____________________ voyager en Louisiane.
7. Patrick fait la cuisine. Il a ____________________.
8. Vous désirez une limonade, mademoiselle? Vous avez ____________________?

Nom: ______________________________ Date: ______________

17B Choose one of the **avoir** expressions below to respond to each of the following situations.

avoir faim   avoir soif   avoir chaud   avoir froid   avoir envie de   avoir besoin de'

Modèle Il fait 40° Celsius.
J'ai chaud.

1. Mes parents ne sont pas à la maison.

____

2. Je suis très fatigué(e).

____

3. Ton meilleur ami te (*you*) téléphone.

____

4. Il y a un match de foot à la télé.

____

5. Il fait du soleil, et il n'y a pas de jus d'orange dans le frigo.

____

6. Tu es chez ton ami, et il a un super ordinateur moderne.

____

7. Ta mère fait une grosse quiche au jambon et une salade niçoise.

____

8. C'est l'hiver, et il fait très froid!

____

Nom: ______________________________ Date: ______________

18B Choose an expression from the list below to describe people according to each situation. Follow the **Modèle**.

avoir chaud   avoir froid   avoir faim   avoir soif   avoir envie de   avoir besoin de

Modèle Il fait beau, et M. Patelin aime aller au parc.
Il a envie de faire une promenade.

1. Il fait très chaud, et il ne fait pas de vent. Juliette n'aime pas l'été.

____

2. Les enfants de Mme Moen n'ont pas de manteau, et c'est l'hiver.

____

3. Le cheval de M. Vargas n'a pas d'eau.

____

4. Nous ne voulons pas regarder la télé aujourd'hui; nous voulons voir un film.

____

5. Khaled veut donner son numéro de téléphone à Tanya mais il n'a pas de stylo.

____

6. Nous sommes en hiver, et il neige. Toi et Patricia, vous n'avez pas de manteau!

____

7. Je n'ai pas mangé ce matin. Il est midi.

____

8. Il n'y a pas de fruits et légumes dans le frigo. Diana et Alex vont au supermarché.

____

Nom: ______________________ Date: ______________

Leçon B

19A Write each vocabulary word under the appropriate category below.

une rue	une gare	une avenue	un aéroport	un musée
une statue	une place	un restaurant	une poste	une banque
une cathédrale	un hôtel	un pont	un monument	

1. les monuments touristiques:

   un musée, ______________________

   ____

2. les lieux (*places*) de transport:

   une gare, ______________________

3. les commerces:

   un restaurant, ______________________

4. l'infrastructure:

   une rue, ______________________

Nom: ______________________________ Date: ______________

20A Complete the names of the following Parisian landmarks using vocabulary from **Leçon B**.

Modèle **rue** de Rivoli

1. ______________ des Champs-Élysées
2. ______________ de la Concorde
3. ______________ du Louvre
4. ______________ Nationale de Paris
5. ______________ Hilton
6. ______________ Roissy-Charles-de-Gaulle
7. ______________ -mouche
8. ______________ de Paris-Nord
9. ______________ la Coupole
10. ______________ -Neuf
11. ______________ de la liberté
12. ______________ d'Orsay

21A Draw a line from the activity in the left column to the place where it occurs in the right column.

1. prendre de l'argent	A. le restaurant
2. prendre un train	B. l'aéroport
3. réserver une chambre	C. l'hôtel de ville
4. visiter	D. l'avenue
5. prendre l'avion	E. la banque
6. marcher	F. la gare
7. prendre le déjeuner	G. l'hôtel

Nom: ______________________ Date: ______________

22B Say where the following persons are going, according to the descriptions. Follow the **Modèle**.

Modèle Benjamin doit changer ses dollars en euros.
Il va à la banque.

1. On veut voir la *Joconde*.

____

2. La famille Jennings veut manger un dîner typiquement français.

____

3. Tu préfères marcher.

____

4. Malika et Moussa veulent se marier (*to get married*).

____

5. Vous devez envoyer une lettre urgente.

____

6. Tu es sur la rive gauche, et tu dois aller sur la rive droite.

____

7. Mon oncle et ma tante veulent prier (*to pray*).

____

8. Il est vingt-trois heures, et je veux dormir maintenant!

____

Nom: ______________________________ Date: ______________

23B Imagine you are spending a day in Paris with a charming French boy or girl named Dominique. Write a blog post describing five places you are going to go to, and five things you will do. Write six to eight sentences.

Laisser un commentaire

Votre nom: ____________________

Titre du blogue: ____________________

Partager

Nom: ____________________ Date: ____________

24 Write a short answer to each of the following questions. Refer to the **Points de départ** in **Leçon B**.

1. Quelle est le genre d'architecture de Notre-Dame de Paris?

   ____

2. Combien de touristes visitent la cathédrale chaque année?

   ____

3. Qui est l'auteur du livre *Notre-Dame de Paris*?

   ____

4. Où est situé l'arc de triomphe?

   ____

5. Il y a combien d'avenues autour de (*around*) la place Charles-de-Gaulle?

   ____

6. Quand est mort (*died*) Victor Hugo?

   ____

7. Quels monuments sont sous l'arc de triomphe?

   ____

Nom: ______________________________ Date: ______________

25 Explain what the following numbers refer to in relation to the Eiffel Tower.

1. 50

____

2. 1889

____

3. 300

____

4. 3

____

5. 7.000

____

6. 2

____

26A Write the appropriate form of the verbs in parentheses in the **passé composé**.

MODÈLE Mon frère **a vendu** sa voiture. (vendre)

1. J'______________________________ des chaussures. (acheter)
2. On ______________________________ le déjeuner. (finir)
3. Vous ______________________________ vos amis. (attendre)
4. Tu ______________________________ tes devoirs au prof? (donner)
5. Les filles ______________________________. (rougir)
6. La classe d'histoire ______________________________ un film. (voir)
7. Toi et moi, nous ______________________________ le film. (choisir)
8. Karim et Abdel ______________________________ de la musique. (écouter)
9. Ma meilleure amie ______________________________ du cheval. (manger)
10. J'______________________________ le concert. (aimer)

Nom: ______________________________ Date: ______________

27A Rewrite the following sentences in the **passé composé**.

Modèle Nous avons un chat gris et noir.
Nous avons eu un chat gris et noir.

1. Tu regardes la télé samedi soir.

____

2. Nous téléphonons au prof de français ce matin.

____

3. Ma famille et moi, nous ne visitons pas l'hôtel de ville de Lyon.

____

4. Tu finis tes devoirs de biologie?

____

5. Patrick et Hugues n'attendent pas Damien.

____

6. La pâtisserie de l'avenue Mallot vend les meilleures religieuses!

____

7. Selena Gomez chante au palais des sports d'Orly.

____

8. Vous choisissez un film d'aventure?

____

9. On attend nos amis devant la bouche du métro.

____

10. Je ne choisis pas le porc et le flan.

____

Nom: ________________________________ Date: ______________

28B Choose a word or expression from the list below to answer the following questions in the negative, using the **passé compose**. Follow the **Modèle**.

marcher toute la journée	regarder la *Joconde*	dormir
attendre le train	finir le contrôle de maths	jouer au foot
acheter des croissants	regarder la Seine	attendre ma cousine

Modèle Les élèves de Mme Gaillot ont envoyé des cartes postales au musée du Louvre?
Non, ils n'ont pas envoyé de cartes postales au musée du Louvre. Ils ont regardé la *Joconde*.

1. Tu as choisi un nouvel ensemble au stade?

____

____

2. Tes parents ont vendu des croissants à la boulangerie?

____

____

3. Vous avez attendu la police sur le bateau-mouche?

____

____

4. Ton beau-frère a préparé le dîner à la gare?

____

____

5. Grand-mère et grand-père ont acheté des souvenirs à l'hôtel?

____

____

6. Tes amis et toi avez écouté de la musique hip-hop en classe de maths?

____

____

7. Tu as demandé des euros à l'aéroport?

____

____

8. On a fait nos devoirs dans la rue de Rivoli?

____

____

Nom: ______________________________ Date: ______________

29B The French police are looking for a suspect in a crime that took place yesterday on the third floor of the Eiffel Tower. Say what each person did during that time, according to the illustrations. Then help the police identify the culprit.

Modèle 

Jean

Jean a visité l'arc de triomphe.

1. Julien

2. M. et Mme Bertrand

3. Le boucher

4. Mademoiselle Nikita

5. Le chien

6. Céleste

7. Toi et tes amis, vous

1. ____

2. ____

3. ____

4. ____

5. ____

6. ____

7. ____

8. Nom du criminel: ______________________________

Nom: ____ Date: ________________

30A Complete the dialogue between Léo and Lucas by filling the blanks with the appropriate forms of the verbs in parentheses in the **passé composé**.

- Super journée! On (1) ____________________ (prendre) le métro pour le Louvre. Mon frère et moi, nous (2) ____________________ (vouloir) faire du bateau-mouche sur la Seine. Magnifique! Et toi alors.... Qu'est-ce que tu (3) ____________________ (faire) à Paris?

- J' (4) ____________________ (devoir) acheter des tickets pour voir l'Arc de triomphe puis il (5) ____________________ (pleuvoir). Ma copine et moi, nous (6) ____________________ (pouvoir) faire du shopping dans les magasins de vêtements! Le fun!

- Ah! Oui, moi j' (7) ____________________ (mettre) mon nouveau maillot de la boutique du Paris Saint-Germain pour voir le match de foot. Mon frère (8) ____________________ (voir) une fille de sa classe!

- Ah bien. Vous (9) ____________________ (être) contents?

- Oui, bien sûr!

Nom: ______________________________ Date: ______________

31B Write the following sentences using the correct form of the verbs in the **passé composé**. Watch for irregular past participles.

Modèle Je (faire la cuisine/mettre la table)
J'ai fait la cuisine, mais je n'ai pas mis la table.

1. Moussa et Karim (téléphoner à Thomas/voir un film avec lui)

____

2. Sarah (devoir sortir avec Jean-Paul/mettre une jolie robe)

____

3. Léo (offrir un CD à sa copine/pouvoir aller au restaurant)

____

4. Fatima et Abdoul (regarder un film/il pleuvoir)

____

5. Noémie (acheter un cadeau pour son frère/offrir le cadeau aujourd'hui)

____

6. Maude et moi (voir la poste/pouvoir acheter des cartes postales)

____

7. Julien (chanter dans les rues de Paris/avoir dix euros)

____

8. Moi (acheter un billet de cinéma/attendre le bus)

____

Nom: ______________________ Date: ____________

32A Place the correct form of the irregular adjective into each of the following phrases. Follow the **Modèle**.

MODÈLE une robe (joli)
une jolie robe

1. un film (mauvais)
____
2. un hôtel (nouveau)
____
3. trois statues (vieux)
____
4. une amie (nouveau)
____
5. un oiseau (beau)
____
6. deux boutiques (grand)
____
7. une rue (petit)
____
8. deux chapeaux (beau)
____
9. trois aéroports (vieux)
____
10. les avenues de Paris (beau)
____

Nom: ______________________________ Date: ______________

33B Answer the following questions in the negative. Follow the **Modèle**.

MODÈLE Vous avez choisi un petit restaurant?
Non, nous n'avons pas choisi un petit restaurant. Nous avons choisi un grand restaurant.

1. Tes amis ont acheté de vieux vêtements?

____

2. Tu as passé une bonne journée?

____

3. Ton père a pris un nouvel avion?

____

4. C'est une petite gare?

____

5. Toi et moi, nous avons vu une belle statue?

____

6. C'est un bon ami?

____

7. Roissy est un vieil aéroport?

____

8. La *Joconde*, c'est un joli tableau?

____

Nom: ______________________________ Date: ______________

Leçon C

34A Place the following time expressions in order, based on the timeline below.

hier soir   la semaine dernière   hier matin   le mois dernier

hier après-midi   l'année dernière

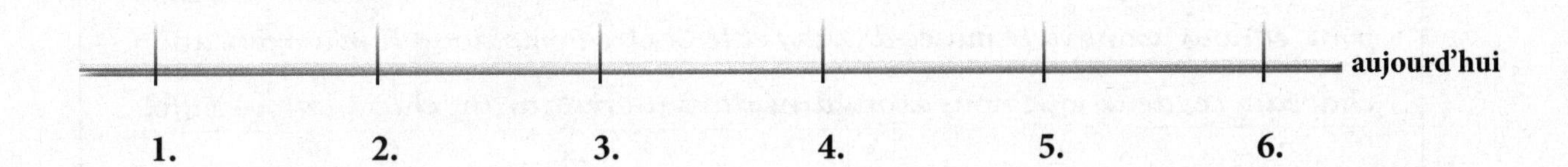

1. ______________________________
2. ______________________________
3. ______________________________
4. ______________________________
5. ______________________________
6. ______________________________

Nom: ______________________________ Date: ______________

35B Below is a page from Amélie's diary, and today is Thursday, July 28th. Answer the following questions about Amélie's life, using appropriate time expressions.

lundi 24 juin: J'ai rencontré Pierre à l'aéroport Charles-de-Gaulle, mais j'ai dû prendre l'avion pour rentrer à Brest.

lundi 21 et mardi 22 juillet: J'ai vu Pierre à Paris. Nous avons marché sur un pont, et nous avons vu le musée d'Orsay et le Centre Pompidou. Il m'a offert un chapeau. Les deux soirs nous avons dîné dans un restaurant chic à la tour Eiffel.

jeudi 24 juillet: Pierre m'a téléphoné. Il veut venir à Brest.

dimanche 27 juillet: J'ai fait les courses au supermarché parce que Pierre arrive dans deux jours!

1. Quand est-ce qu'Amélie a rencontré Pierre?

 ____

2. Qu'a fait Amélie dimanche dernier?

 ____

3. Est-ce que Pierre a téléphoné à Amélie le weekend dernier?

 ____

4. Quand est-ce qu'Amélie et Pierre ont dîné au restaurant de la tour Eiffel?

 ____

5. Qu'a fait Amélie hier?

 ____

Nom: ______________________________ Date: ______________

36A Answer the following questions in French. Make sure to use complete sentences.

1. Qu'as-tu fait l'été dernier?

   ____

2. Qu'est-ce que tu as étudié à l'école l'année dernière?

   ____

3. Quel événement (*event*) est arrivé la semaine dernière?

   ____

4. Quand as-tu fait tes devoirs, hier?

   ____

5. Est-ce que tu as fait du shopping la semaine dernière? Quel jour?

   ____

6. Quand est-ce que tes amis et toi avez fait du shopping?

   ____

7. C'est quand la dernière fois que tu es allé(e) au cinéma?

   ____

Nom: ______________________________ Date: ______________

37B Transform the following sentences using a time expression. Follow the **Modèle.**

MODÈLE Joseph est arrivé à Paris le 21 décembre.
Joseph est arrivé à Paris le weekend dernier.

DÉCEMBRE

lu	ma	me	je	ve	sa	di
						1
2	3	4	5	6	7	8
9	10	11	12	13	14	15
16	17	18	19	20	21	22
23 / 30	24 / 31	25	26	27	28 X aujourd'hui	29

1. Nous sommes arrivés à Paris le 27 décembre.

____

2. Tu es descendu à l'hôtel du lundi 16 au samedi 21 décembre.

____

3. On est allé chez mon cousin le 25 décembre.

____

4. Mon frère et sa copine ont voyagé en Tunisie du mardi 17 au dimanche 22.

____

5. Les Martin ont pris des photos des monuments en novembre.

____

6. Mes parents et moi, nous avons fait du vélo le samedi et dimanche 21 et 22 décembre.

____

7. Vous avez visité Montréal le jeudi 26 décembre?

____

8. Ma belle-sœur et son mari sont montés en haut de la tour Eiffel en novembre.

____

Nom: ______________________________ Date: ______________

38 Answer the following questions according to the **Points de départ** in **Leçon C.**

1. Quelles activités les petits enfants peuvent faire au jardin des Tuileries?

____

2. Il y a combien de lignes de métro?

____

3. Il y a combien de stations de métro?

____

4. Combien de bouches de métro sont dans le style de l'Art Nouveau?

____

5. Comment est indiquée la direction d'une ligne de métro?

____

6. En général, on peut avoir combien de correspondances?

____

39A Write the past participle for each of the following verbs.

1. rentrer: ______________________________
2. partir: ______________________________
3. devenir: ______________________________
4. descendre: ______________________________
5. arriver: ______________________________
6. sortir: ______________________________
7. rester: ______________________________
8. venir: ______________________________
9. entrer: ______________________________
10. revenir: ______________________________

Nom: ______________________________ Date: ______________

40A Put the verbs in parentheses in the **passé composé** to complete the following sentences. Then rewrite the sentences in the negative.

Modèle Je **suis allée** au théâtre hier avec mes parents. (aller)

1. Ma cousine ____________________ avec nous. (venir)
2. Nous ____________________ à 20h00. (partir)
3. Ma cousine et moi, Valérie, nous ____________________ à 20h15. (arriver)
4. Mes parents ____________________ en retard. (arriver)
5. Ils ____________________ à la maison. (rester)
6. Ma mère ____________________ au café du théâtre. (descendre)
7. Nous ____________________ à 22h00! (sortir)

1. ____
2. ____
3. ____
4. ____
5. ____
6. ____
7. ____

Nom: ____ Date: ________________

41B Answer the following questions negatively.

Modèle Annie est-elle allée au musée?
Non, elle n'est pas allée au musée.

1. Sarah est-elle venue?
____

2. Théo et Julie sont-ils partis?
____

3. Nicolas est-il arrivé avec un copain?
____

4. Sommes-nous restés tout le weekend?
____

5. Louna est-elle venue, elle aussi?
____

6. Êtes-vous montés dans le bus pour rentrer?
____

7. Hugo est-il parti en avance?
____

8. Les ados sont-ils sortis après le dîner?
____

Nom: ____ Date: ________________

42A Write the following verbs in the **passé composé**, choosing **avoir** or **être** as the helping verb.

Modèle il **est monté** (monter)

1. tu __________________________ (avoir)
2. elles __________________________ (revenir)
3. on __________________________ (aller)
4. vous __________________________ (voir)
5. nous __________________________ (descendre)
6. elles __________________________ (aller)
7. il __________________________ (pleuvoir)
8. j' __________________________ (devoir)

43B Complete the following sentences by writing the correct form of the verb in parentheses using the **passé composé**. Choose **avoir** or **être** as the helping verb.

1. Mathéo ______________________ footballeur professionnel le mois dernier. (devenir)
2. Il ______________________ beaucoup de sport à l'école. (faire)
3. Avec son cousin, ils ______________________ comme amateurs. (commencer)
4. Il ______________________ de son club amateur l'année dernière. (partir)
5. La famille de Mathéo ______________________ voir leur match la semaine dernière. (venir)
6. Ils ______________________ dimanche dernier contre une grande équipe. (jouer)
7. Leur équipe ______________________ le match. (perdre)
8. Mathéo ______________________ à la maison très triste. (rentrer)

Nom: ______________________________ Date: ______________

44A Rewrite each sentence to include the adverb in parentheses.

Modèle Tes amis sont-ils arrivés? (déjà)
Tes amis sont-ils déjà arrivés?

1. Notre cousine est partie! (enfin)

____

2. J'ai travaillé. (mal)

____

3. Nous sommes sortis. (beaucoup)

____

4. Est-ce que tu as dormi? (assez)

____

5. Nous avons mangé! (trop)

____

6. L'année est passée. (vite)

____

7. J'ai aimé nos discussions. (bien)

____

8. Le chanteur a chanté hier soir. (mal)

____

Nom: ______________________________ Date: ______________

45B Answer the following questions using an adverb from the list below.

assez   beaucoup   bien   déjà   mal

peu   trop   vite   enfin

Modèle Vous avez mangé?
Oui, nous avons déjà mangé.

1. Charles a dansé à la teuf?

____

2. Tes parents sont venus avec toi au concert de jazz?

____

3. Élodie et toi, vous êtes allés dîner ensemble?

____

4. Tu es descendu du bus à 9h00?

____

5. La police est arrivée pendant l'accident?

____

6. Les profs ont écouté les élèves?

____

7. Hier, nous avons beaucoup mangé au café?

____

8. Tes amis ont voyagé à New York avec toi?

____

Nom: ______________________________ Date: ______________

Unité 9: En forme

Leçon A

1A Place the words next to the correct body part on the illustration below.

l'épaule	la tête	les dents	la jambe	le doigt de pied	
l'œil	la main	le bras	le cou	le nez	le genou
le pied	la poitrine	l'estomac	le doigt	la bouche	l'oreille

Nom: ______________________________ Date: ______________

2A Circle the body part that does not belong with the rest of the group.

1. le bras, la main, l'œil
2. l'oreille, la poitrine, l'estomac
3. le pied, les yeux, le doigt de pied
4. la jambe, le genou, le nez
5. les dents, le dos, l'épaule
6. la bouche, la main, le doigt
7. le doigt de pied, l'épaule, le pied
8. le doigt, l'œil, le nez

3A Complete the following sentences with the correct body part(s). You may use each option more than once.

yeux   dents   jambes   bras   main   oreilles   doigts   bouche

1. On mange un hamburger avec la ____________________.
2. On parle avec la ____________________.
3. On sourit (*smile*) avec les ____________________.
4. On dit "au revoir" avec la ____________________.
5. On marche avec les ____________________.
6. On nage avec les ____________________ et les ____________________.
7. On regarde avec les ____________________.
8. On écoute avec les ____________________.
9. On tape (*types*) sur le clavier avec les ____________________.

Nom: ______________________ Date: ______________

4B Complete the online instructions below on how to perform the tango by filling in the missing words according to the illustration.

Position du tango

Premièrement, mettez (1) ________________ sur (2) ________________ de votre partenaire, puis mettez (3) ________________ en avant (*forward*). Levez (4) ________________ droit et tournez (5) ________________. Soulevez (*lift up*) (6) ________________ et courbez (*arch*) (7) ________________.

N'oubliez pas de regarder votre partenaire dans (8) ________________!

Nom: ______________________________ Date: ______________

5B You are volunteering at a hospital, and one of your patients, Mlle Rouet, gets cold easily. Every time she requests a piece of clothing, ask her where she is cold.

MODÈLE Mlle Rouet: Je voudrais un chapeau!
Vous: **Vous avez froid à la tête?**

1. Mlle Rouet: Je voudrais des gants!

   Vous: ______________________________

2. Mlle Rouet: Je voudrais une écharpe!

   Vous: ______________________________

3. Mlle Rouet: Je voudrais des chaussures!

   Vous: ______________________________

4. Mlle Rouet: Je voudrais un pantalon!

   Vous: ______________________________

5. Mlle Rouet: Je voudrais une veste derrière moi!

   Vous: ______________________________

6. Mlle Rouet: Je voudrais un manteau devant moi!

   Vous: ______________________________

7. Mlle Rouet: Je voudrais un bonnet!

   Vous: ______________________________

Nom: ______________________ Date: ______________

6B Give people advice based on what they would like to do.

Modèle Zacharie veut voir un film.
Il faut louer un DVD.

1. Chema et Manuel veulent avoir une bonne note au contrôle de français.

____

2. Abdel-Kader veut sortir avec Rachida.

____

3. La classe de français veut voir un tableau de Manet.

____

4. Nous voulons de nouveaux vêtements.

____

5. Ma tante veut maigrir.

____

6. Les Bernard veulent voyager à Paris.

____

7. Mes parents veulent fêter leur anniversaire de mariage.

____

8. Les enfants ne veulent pas rester à la maison aujourd'hui.

____

Nom: ______________________________ Date: ______________

7B You are babysitting two children, Myriam and Joachim, who are purposely doing things wrong. Tell them what they need to do instead. Follow the **Modèle**.

MODÈLE Joachim tape (*types*) à l'ordinateur avec les doigts de pieds.
Il ne faut pas taper à l'ordinateur avec les doigts de pied; il faut taper à l'ordinateur avec les doigts!

1. Myriam marche sur les mains.

____

____

2. Joachim boit (*drinks*) avec le nez.

____

____

3. Myriam écoute avec les yeux.

____

____

4. Joachim porte un sac à dos sur la poitrine.

____

____

5. Myriam fait du vélo avec les bras.

____

____

6. Joachim met sa veste sur son estomac.

____

____

7. Myriam met la tête dans l'évier.

____

____

8. Joachim met son écharpe au genou.

____

____

Nom: ______________________________ Date: ______________

8B You are a doctor who has just delivered a beautiful baby boy. Describe the baby to the family in the waiting room.

MODÈLE **Il a une grosse tête, deux yeux noirs, ….**

____

____

____

____

____

____

____

____

____

____

9 Complete the following sentences according to the **Points de départ** in **Leçon A**.

1. La sécurité sociale s'appelle aussi ______________________.
2. C'est un système ______________________.
3. ______________________ est un slogan pour la santé.
4. Il faut manger beaucoup de ______________________.
5. On développe des repas équilibrés (*balanced*) dans les ______________________ des lycées.
6. Le thermalisme a commencé en ______________________.
7. Il y a des ______________________ dans les Vosges.
8. La sécurité sociale paie souvent les ______________________.

Nom: ______________________________ Date: ______________

10 Write **vrai** if the following sentence is true, and **faux** if it is false. Refer to the **Points de départ** in **Leçon A**.

1. La sécurité sociale est financée par les salariés et les musées. ______________
2. Les Français consultent seulement des spécialistes. ______________
3. On peut aller seulement dans une clinique privée. ______________
4. La sécurité sociale ne couvre pas les soins (*care*) homéopathiques. ______________
5. Les Français sont de gros consommateurs de soins. ______________

11 Say what the following numbers correspond to, according to the **Points de départ** in **Leçon A**.

1. 1850

____

2. 100

____

3. 500.000

____

4. 3

____

Nom: ______________________ Date: ______________

12A Say whether one should or should not do the following things in order to maintain good health. Use **il faut** or **il ne faut pas**.

Modèle faire peu de sport
Il ne faut pas faire peu de sport.

1. manger des fruits frais

____

2. rester à la maison tous les jours

____

3. dormir huit heures par jour

____

4. prendre des menus riches en calories

____

5. boire beaucoup d'eau

____

6. manger beaucoup de gâteaux

____

7. bouger tous les jours

____

8. boire beaucoup de coca

____

Nom: ______________________________ Date: ______________

13A Say whether one should or should not do the following things in order to be a good student. Use **il faut** or **il ne faut pas**.

1. arriver à l'heure

____

2. parler en classe avec ses camarades

____

3. réussir aux examens

____

4. faire ses devoirs

____

5. envoyer des textos à ses copains en classe

____

6. prendre des notes

____

7. être absent

____

8. faire la fête tous les soirs

____

Nom: ______________________________ Date: ______________

14B For each situation, suggest what one should and should not do.

> **MODÈLE** Alice voudrait aller au cinéma.
> **Il faut acheter des billets.**
> **Il ne faut pas rester à la maison.**

1. Il n'y a pas de yaourt dans le frigo.

____

____

2. Il fait beau.

____

____

3. C'est l'anniversaire de Patrick.

____

____

4. Mme Roseau veut voir le Mali.

____

____

5. M. Kedem veut maigrir.

____

____

6. Édouard a envie d'offrir un cadeau à sa copine.

____

____

7. Je voudrais être ton meilleur ami.

____

____

Nom: ______________________________ Date: ______________

Leçon B

15A Say what part of each person's body is hurting, according to the illustrations.

Modèle  **J'ai mal à la tête.**

je

1. Monique

2. Mme Béchamel

3. Jamila

4. tu

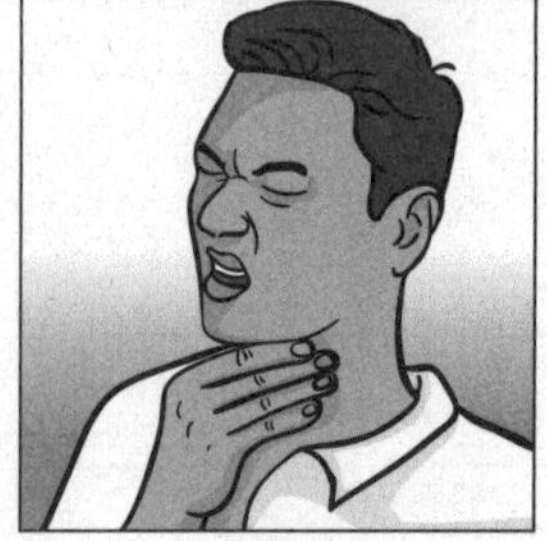
5. Patrick

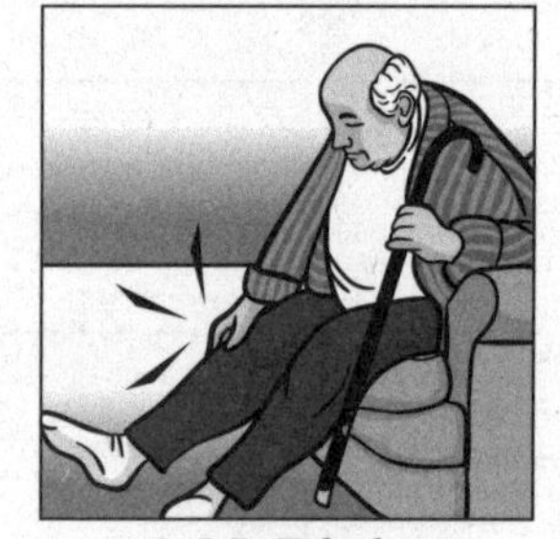
6. M. Pépère

7. je

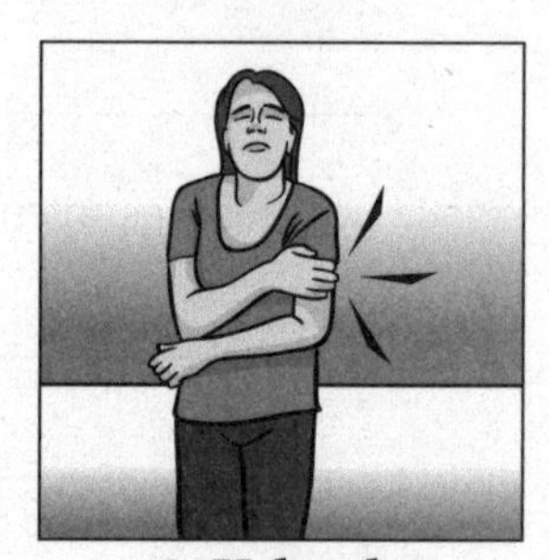
8. Yolande

1. ______________________________
2. ______________________________
3. ______________________________
4. ______________________________
5. ______________________________
6. ______________________________
7. ______________________________
8. ______________________________

Nom: ____ Date: ________________

16A Put the following vocabulary words into the appropriate categories.

la grippe	de la fièvre	des frissons	bonne mine	mauvaise mine
en bonne forme	pas en forme	malade	un rhume	

une maladie: ____

____

un symptôme: ____

____

une bonne santé: ____

____

17A Complete the following sentences with the verb **avoir** or **être**.

Modèle **Avez**-vous mal à la tête?

1. Joachim ____________________ mal à l'estomac.
2. Florence et Pierre ____________________ des frissons.
3. Mes grand-parents ____________________ en bonne forme!
4. Ah, non, tu ____________________ un rhume!
5. Mais, vous ____________________ la grippe!
6. Oui, je ____________________ pas en forme.

Nom: ______________________________ Date: ______________

18B Match each of the descriptions of George's state or actions in the left column with the appropriate symptom or ailment in the right column.

Ce que George a fait hier:

1. Il a mangé trop de gâteaux.
2. Il a très chaud.
3. Il a froid.
4. Il a le nez rouge.
5. Il est resté au lit toute la journée.
6. Il n'a pas d'énergie.
7. Il doit aller chez le dentiste.
8. Il ne peut pas bien parler.

Ses problèmes aujourd'hui:

A. Il est malade.
B. Il a un rhume.
C. Il a mal au cœur.
D. Il a des frissons.
E. Il n'est pas en forme.
F. Il a mal à la gorge.
G. Il a de la fièvre.
H. Il a mal aux dents.

19B Describe the symptoms you experience when you have a cold and when you have the flu.

Quand j'ai un rhume, ______________________________

____

____

Quand j'ai la grippe, ______________________________

____

____

Nom: ____ Date: ________________

20 Fill out the profile of Rwanda below, according to the **Points de départ** in **Leçon B**.

Le Rwanda		
Situation géographique:	Climat:	Population:
Ethnies:	Capitale:	Économie:

21 Write **vrai** if the following statements are true and **faux** if they are false. Refer to the **Points de départ** in **Leçon B**.

1. Le SIDA touche le Rwanda depuis 1983. ______________
2. 13% de la population est atteinte (*touched*) par la maladie. ______________
3. Les femmes sont surtout infectées par le VIH. ______________
4. Le programme de protection veut éviter (*avoid*) la transmission du virus de la mère à l'enfant. ______________
5. Le nombre d'enfants infectés augmente. ______________
6. Les accompagnateurs sont malades du SIDA, de la tuberculose, ou du paludisme. ______________
7. Les accompagnateurs apportent les médicaments chez les malades. ______________
8. Ils gagnent $30 par mois. ______________

Nom: ______________________________ Date: ______________

22A Change the following sentences from the present tense to the imperative.

MODÈLE Nous allons au café.
Allons au café!

1. Tu manges un bon repas.

____

2. Vous choisissez un DVD.

____

3. Nous parlons français avec notre ami sénégalais.

____

4. Vous prenez un sandwich au jambon.

____

5. Tu achètes trois livres de cerises.

____

6. Vous mettez le couvert.

____

7. Tu regardes un documentaire sur le Rwanda.

____

8. Nous étudions pour le contrôle de sciences.

____

9. Vous venez au cinéma avec nous.

____

10. Tu finis tous tes devoirs d'anglais.

____

Nom: ______________________ Date: ____________

23B You are in charge of your little brother this weekend, and you have to tell him to do all the things he does not like to do. Use the imperative and follow the **Modèle**.

Modèle Mon petit frère n'aime pas rester dans sa chambre.
Reste dans ta chambre!

1. Mon petit frère n'aime pas parler à grand-mère au téléphone.

____

2. Mon petit frère n'aime pas prendre des vitamines.

____

3. Mon petit frère n'aime pas finir la leçon de maths.

____

4. Mon petit frère n'aime pas faire ses devoirs.

____

5. Mon petit frère n'aime pas attendre ses amis.

____

6. Mon petit frère n'aime pas regarder un documentaire.

____

7. Mon petit frère n'aime pas acheter un livre.

____

8. Mon petit frère n'aime pas aller au centre commercial avec moi.

____

9. Mon petit frère n'aime pas écouter de la musique.

____

10. Mon petit frère n'aime pas mettre le couvert.

____

Nom: ______________________________ Date: ______________

24A Fill in the missing words in the recipe for an apple pie, using the **vous** form of the imperative of each of the verbs below. You may use each verb more than once.

laver	prendre	couper	mettre
choisir	préparer	regarder	servir (*to serve*)

(1) ______________ vos mains, puis (2) ______________ les pommes.

(3) ______________ les pommes en petits morceaux. (4) ______________

les pommes dans un bol. (5) ______________ les pommes sur la tarte et

(6) ______________ du sucre ou du miel (*honey*) pour mettre dessus.

(7) ______________ un plat au four. (8) ______________ le plat dans le four et

(9) ______________ toutes les vingt minutes. (10) ______________ après une

heure. Bon appétit!

25A Use the following elements to write sentences in the imperative. Follow the **Modèle**.

Modèle regarder la télé/faire du roller (tu)
Ne regarde pas la télé; fais du roller!

1. manger du porc/manger du poulet (vous)

____

2. rester au lit/faire une promenade (tu)

____

3. parler au téléphone/envoyer un texto (nous)

____

4. prendre des photos/faire une vidéo (tu)

____

5. maigrir/grossir (tu)

____

6. finir ton jeu vidéo/étudier (tu)

____

Nom: ____ Date: ________________

26B Play the role of **Docteur Lambert**, and tell the following patients what they should do to be healthier. Use the declarative or the negative form, and use the **tu** or **vous** form, depending on the patient you are consulting.

Modèle M. Roger a grossi.
Ne mangez pas de pâtisseries!

1. Chantal a un rhume.

____

2. M. et Mme Jambon ne font pas de sport.

____

3. Ludovic regarde trop la télé, alors il a mal aux yeux.

____

4. Mlle Delorme ne mange pas de fruits.

____

5. M. Lapin ne met pas de chapeau en hiver.

____

6. Rachida a beaucoup maigri.

____

7. Khaled et Géraldine font trop de sport, alors ils ont mal au dos.

____

8. Benjamin ne prend pas ses médicaments (*medicine*).

____

9. Christine fait trop d'aérobic.

____

10. Julian ne porte pas son manteau en hiver, alors il a un rhume.

____

Nom: ____ Date: ________________

27B Do you know how to prepare a certain dish, do a dance move, or make a video? Find something you like to do and write out the instructions in a minimum of six steps, using the imperative. Use the negative form at least twice.

Nom: ______________________ Date: ______________

Leçon C

28A Write the name of each of the following objects.

MODÈLE  **des bouteilles en plastique**

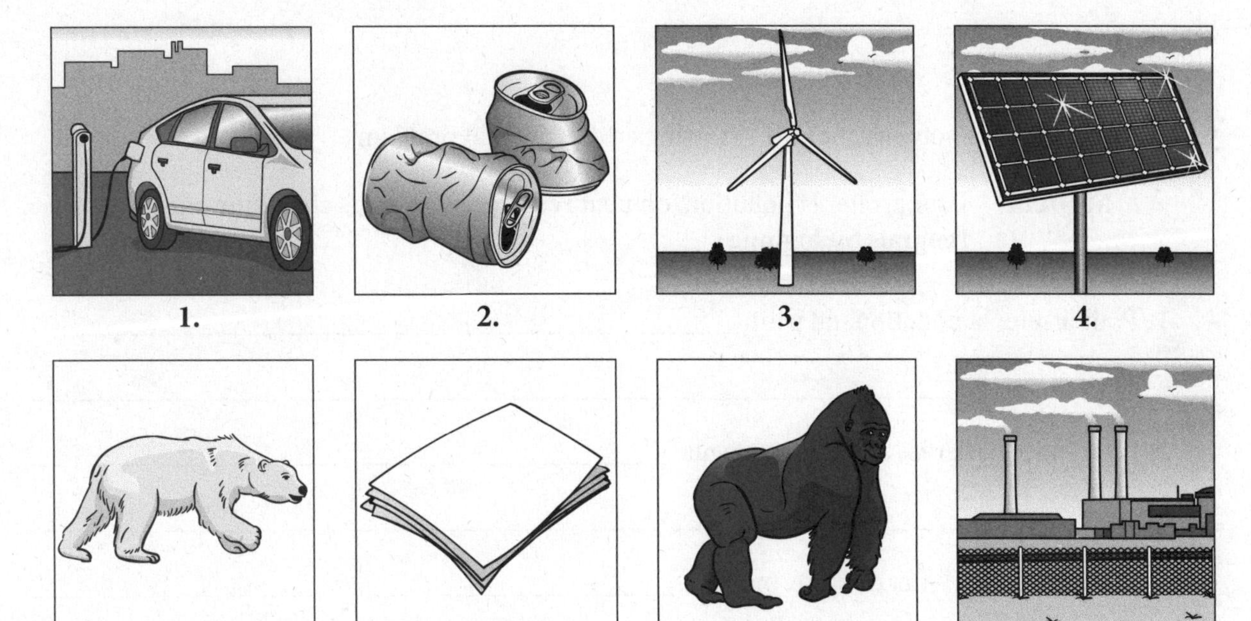

1. ______________________
2. ______________________
3. ______________________
4. ______________________
5. ______________________
6. ______________________
7. ______________________
8. ______________________

Nom: ______________________________ Date: ______________

29A Say what each environmental problem causes.

Modèle L'effet de serre **réchauffe la planète.**

1. Les marées noires ______________________________
2. Le dioxyde de carbone ______________________________
3. L'engrais chimique ______________________________
4 L'energie nucléaire ______________________________

30A Name one way to solve each of the following environmental problems.

Modèle Pour arrêter la pollution, on peut **remplacer l'engrais chimique par l'engrais biologique.**

1. Pour arrêter la pollution, on peut ______________________________
____
2. Pour sauvegarder les animaux, on peut ______________________________
____
3. Pour combattre l'effet de serre, on peut ______________________________
____
4. Pour sauvegarder la planète, on peut ______________________________
____
5. Pour combattre les marées noires, on peut ______________________________
____
6. Pour arrêter le dioxyde de carbone, on peut ______________________________
____

Nom: ______________________________ Date: ______________

31B Fill in the blank spaces with the appropriate vocabulary words.

Nous avons aujourd'hui des problèmes d'(1) ______________. Il y a beaucoup de (2) ______________. Pour (3) ______________ la planète, il faut (4) ______________ les bouteilles et les sacs en plastique, (5) ______________ la voiture électrique ou (6) ______________ et (7) ______________ des panneaux solaires. Il faut aussi (8) ______________ les espèces et les animaux sauvages et (9) ______________ les engrais chimiques par des engrais naturels.

32B Say what the following people can do to be more environmentally friendly.

MODÈLE Crystelle boit une eau minérale et met la bouteille dans la poubelle.
Elle peut recycler la bouteille en plastique.

1. Les Jacquin ont une vieille maison qui consomme beaucoup d'électricité.

____

2. Tes amis et toi, vous allez à l'école en voiture en été.

____

3 M. et Mme Farida veulent acheter une deuxième voiture de sport.

____

4. Le gouvernement veut installer cinquante usines nucléaires dans deux ans.

____

5. Je consomme beaucoup de coca, et je voudrais maigrir.

____

6. La compagnie agricole Lafrêche a utilisé beaucoup d'engrais chimique pour avoir une production importante cette année.

____

Nom: ______________________ Date: ____________

33 Answer the following questions according to the **Points de départ** in **Leçon C.**

1. Les Verts sont-ils une force politique? ______________________

2. Quelle est la date de naissance du mouvement? ______________________

3. Quel type de population représentent les Verts?

____

____

4. Qu'est-ce qui caractérise cette population?

____

5. Quelles sont les mesures radicales des Verts?

____

____

34 Answer the following questions according to the **Points de départ** in **Leçon C.**

1. Que signifie le mot **Vélib'**?

____

2. Quel est le but de **Velib'**?

____

3. Où trouve-t-on les vélos?

____

4. Combien de vélos y a-t'il?

____

5. Qu'est-ce que "La Souris Verte"?

____

Nom: ______________________________ Date: ______________

35A Write complete sentences using the elements provided. Make sure to use the correct form of each verb.

Modèles Charles et Amélie/manger/au restaurant.
Charles et Amélie mangent au restaurant.

Mlle Pocard/vouloir acheter/de nouveaux vêtements
Mlle Pocard veut acheter de nouveaux vêtements.

1. Les Français/consommer/beaucoup d'énergie nucléaire.

____

2. Adja/ne pas vouloir/ce chapeau.

____

3. Véo et Rachid/préférer/faire un voyage en Hongrie.

____

4. Tu/ne ... pas pouvoir/danser comme Michael Jackson.

____

5. Vous/étudier la biologie/tous les jours.

____

6. Mes parents/ne pas aimer/consommer des boîtes en aluminium.

____

7. Je/aimer/sauvegarder les animaux.

____

8. Il/falloir/faire du vélo.

____

9. Mon meilleur ami/venir au cinéma/avec moi.

____

10. On/venir/faire du ski/avec vous.

____

Nom: ______________________________ Date: ______________

36A Ask questions about the following people, using the elements provided. Follow the **Modèle**.

Modèle aimer/manger/les escargots (le prof de français)
Il aime manger les escargots?

1. désirer/voyager en France (les amis)

____

2. pouvoir/venir avec nous (le petit frère)

____

3. devoir/partir à quelle heure (tu)

____

4. préférer/attendre le bus (Malika)

____

5. vouloir/étudier avec moi (vous)

____

6. venir/dîner à la maison dimanche (les Berhinger)

____

7. devoir/recycler les boîtes à la maison (tu)

____

8. pouvoir/sortir ensemble ce weekend (toi et moi)

____

Nom: ______________________________ Date: ______________

37B Answer the following questions in French.

1. Tu aimes écouter de la musique?

   ____

2. Tes parents préfèrent conduire une voiture hybride ou normale?

   ____

3. Dans ta famille, vous devez recycler?

   ____

4. Tes amis veulent sauvegarder les animaux en voie de disparition?

   ____

5. À ton avis, il faut aider l'environnement?

   ____

6. Qu'est-ce que toi et tes amis allez faire ce weekend?

   ____

7. Qui vient dîner avec toi au restaurant?

   ____

8. Qu'est-ce qu'on doit faire pour être en forme?

   ____

Nom: ____ Date: ________________

38A Complete the following sentences with **de** or **des**.

Modèles Nous avons vu **de** jolis pandas au zoo.
Je voudrais **des** vêtements chic pour mon anniversaire.

1. Mathilda porte ____________ vieux jeans.
2. Ce sont ____________ petites bouteilles en plastique.
3. Ils ont installé ____________ nouveaux panneaux solaires.
4. Cette manufacture produit (*produces*) ____________ voitures électriques.
5. Le gouvernement a fait ____________ grandes réformes pour lutter contre la pollution.
6. Oui, j'ai ____________ films intéressants sur le tigre de Sumatra.
7. Les petits zoos ont souvent ____________ vieux ours polaires.
8. Le matin, je mange toujours ____________ grosses tartines.
9. Tu prends ____________ haricots verts avec ton steak-frites?
10. Mon oncle a acheté ____________ pulls chauds pour ses enfants.

39A Complete the paragraph below by filling in the blanks with **de** or **des**.

D'abord, nous sommes allés à Versailles, où il y a (1) ____________ beaux vieux châteaux, avec (2) ____________ jardins magnifiques. Nous avons vu (3) ____________ villes françaises avec (4) ____________ belles rues en pierre (*stone*). À Paris, il y a (5) ____________ nouveaux cafés près (6) ____________ places publiques. Il y a aussi (7) ____________ jolies filles et (8) ____________ dames élégantes. Nous avons acheté (9) ____________ objets insolites au marché aux puces, où nous avons rencontré (10) ____________ vieux marchands.

Nom: ______________________________ Date: ______________

40B Use **de** or **des** to say where you can find the following things. Follow the **Modèles** and pay attention to the forms of the adjectives.

Modèles gorilles/petit
Il y a de petits gorilles au zoo de ma ville.

usines/moderne
Il y a des usines modernes aux États-Unis.

1. vêtements/joli

____

2. usines/grand

____

3. immeubles/vieux

____

4. voitures/sportif

____

5. animaux/sauvage

____

6. centrales nucléaires/nouveau

____

7. maisons/gros

____

8. monuments/beau

____

Nom: ______________________ Date: ______________

Unité 10: Les grandes vacances

Leçon A

1A Look at the map on page 516 of your textbook and say where the following provinces, cities, or states are located in relation to each other.

MODÈLE le Vermont/le Québec
Le Vermont est situé au sud du Québec.

1. le Québec/l'Ontario

____

2. la Terre-Neuve-et-Labrador/le Québec

____

3. le Canada/les États-Unis

____

4. la Nouvelle Écosse/l'Île du Prince Édouard

____

5. Montréal/Québec

____

6. le Vermont/le Québec

____

7. le Vermont/le New Hampshire

____

8. le Québec/le Nouveau-Brunswick

____

9. le Maine/la Nouvelle Écosse

____

10. le Saint-Laurent/les États-Unis

____

Nom: ______________________________ Date: ______________

2A Say where the following French cities are situated, according to the map.

Modèle Paris
Paris est au nord d'Orléans.

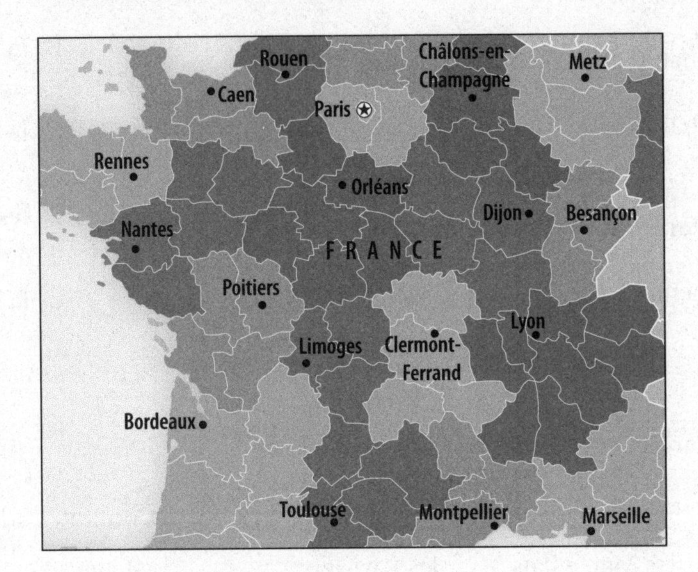

1. Clermont-Ferrand

____

2. Nantes

____

3. Marseille

____

4. La Rochelle

____

5. Lyon

____

6. Bordeaux

____

7. Dijon

____

8. Limoges

____

Nom: ______________________________ Date: ______________

3B Draw lines between the two columns to match each description with the appropriate word.

1. C'est un rectangle avec des symboles et des couleurs pour représenter le pays.
2. les personnes qui habitent dans un pays ou une ville
3. les personnes qui habitent au Canada du côté français
4. une phrase importante qui représente un pays
5. la ville gouvernementale d'un pays ou d'une province

A. les Francanadiens
B. la devise
C. le drapeau
D. les habitants
E. la capitale

4A Choose the correct word or expression from the list below.

la capitale	Je me souviens.	l'Espagne	métro, boulot, dodo
Rennes	les Marseillais	les Parisiens	la Belgique

1. Quelle est la devise du Québec?

   ____

2. Quelle est une devise de la ville de Paris?

   ____

3. Comment s'appellent les habitants de Paris?

   ____

4. Quelle est la capitale de la Bretagne?

   ____

5. Quel pays est au nord-est de la France?

   ____

6. Quel pays est au sud de la France?

   ____

7. Comment appelle-t-on les habitants de Marseille?

   ____

8. Qu'est-ce que Paris?

   ____

Nom: ______________________________ Date: ____________

5B You are helping a tourist find his way around your hometown. Answer each of his questions about where different places are located.

Modèle Où est située la gare?
La gare est au nord de la mairie.

1. Où est situé le centre commercial?

____

2. Où est situé l'aéroport?

____

3. Où est située la cathédrale?

____

4. Où est situé le parc?

____

5. Où est situé l'hôtel de ville?

____

6. Où est située la médiathèque?

____

7. Où est situé le restaurant que vous préférez?

____

8. Où est situé le café?

____

9. Où est situé le musée?

____

10. Où est situé le fleuve?

____

Nom: ______________________________ Date: ______________

6 Write short answers for questions 1, 2, 3, 4, and 7, and complete sentences for questions 5, 6, and 8. Refer to the **Points de départ** in **Leçon A**.

1. Quel est le surnom (*nickname*) du Québec?

____

2. Quelle est la plus grande province du Canada?

____

3. Quelle est la capitale du Québec?

____

4. Qu'est-ce que le Saint-Laurent?

____

5. Que représente la fleur de lys et pourquoi est-elle importante?

____

6. Y a-t-il plus d'habitants à Québec ou à Montréal?

____

7. Qui a appris aux Européens à faire le sirop d'érable?

____

8. Comment dit-on "J'ai quelques dollars, je vais faire du shopping"?

____

Nom: ______________________________ Date: ______________

7 Answer the following questions about Montréal. Refer to the **Points de départ** in **Leçon A**.

1. Qu'est-ce que le Mont-Royal?

____

2. Nommez un festival de musique à Montréal.

____

3. Nommez un festival comique à Montréal.

____

4. Nommez un festival du cinéma à Montréal.

____

5. Nommez un lieu militaire à Montréal.

____

6. Nommez un vieux quartier à Montréal.

____

7. Nommez un site qui représente un personnage historique.

____

8. Nommez une grande église à Montréal. Que remarquez-vous?

____

Nom: ______________________________ Date: ______________

8A Complete the following sentences by filling in the correct prepositions.

1. Tu vas __________ Canada?
2. Non, je vais __________ États-Unis.
3. Ma tante va voyager __________ Ontario l'été prochain!
4. Est-ce que les élèves de Mme Teefy vont __________ Montréal?
5. Non, ils vont __________ Paris, __________ France.
6. Moi, je ne suis jamais allé __________ Terre-Neuve, mais je suis allée __________ Labrador.
7. Les Dufour vont bientôt aller __________ États-Unis.
8. Ah oui, ils vont __________ Chicago, n'est-ce pas?
9. Ma famille et moi, nous allons __________ Nouveau-Brunswick dans deux semaines.
10. M. et Mme Robert voyagent __________ Seattle.

9A Fill in the appropriate prepositions to complete the statements about where the following people live.

MODÈLE Samuel habite **à** Fredericton, **au** Nouveau-Brunswick.

1. Aïcha habite __________ Alger, __________ Algérie.
2. Kristina habite __________ Nice, __________ France.
3. Malika et Salim habitent __________ Casablanca, __________ Maroc.
4. Maude habite __________ Bruxelles, __________ Belgique.
5. Kevin habite __________ Boston, __________ États-Unis.
6. Djamel habite __________ Tunis, __________ Tunisie.
7. Pierre habite __________ Québec, __________ Québec.
8. Marie-Sonine habite __________ Fort-de-France, __________ Martinique.

Nom: ______________________________ Date: ______________

10B Transform the following phrases into sentences using the correct prepositions.

Modèle je vais/le Canada
Je vais au Canada.

1. nous allons/la France

____

2. tu vas/la Côte d'Ivoire

____

3. on va/les États-Unis

____

4. la chanteuse va/Paris

____

5. les ados vont/Québec

____

6. vous allez/le Québec

____

7. nous allons/la France

____

8. je vais/Marseille

____

9. tu vas/l'Afrique

____

10. mon cousin va/le Vermont

____

Nom: ______________________________ Date: ______________

11B You have been given the opportunity to interview your favorite football player about his travels abroad. Write creative questions using the verbs **habiter**, **voyager**, and **aller** to ask him where he lived and traveled, as well as where he would like to go in the future. You may use places from the list below or others of your choice. Write a minimum of eight questions in French.

Los Angeles	la Suisse	les États-Unis	le Manitoba
l'Afrique	Genève	la Louisiane	Paris
le Japon	le Cameroun	l'Algérie	Montréal

MODÈLE **Vous désirez rester aux États-Unis après être joueur de football?**

____

____

____

____

____

____

____

____

____

____

____

____

____

____

____

____

____

Nom: ______________________ Date: ______________

Leçon B

12A Based on the illustrations below, say what Gérard sees through the window of his train as it travels through the Provence region.

Modèle  **un lac**

1.

2.

3.

4.

5.

6.

7.

8.

9.

1. ______________________
2. ______________________
3. ______________________
4. ______________________
5. ______________________
6. ______________________
7. ______________________
8. ______________________
9. ______________________

Nom: ______________________________ Date: ______________

13A Circle the word which does not belong to each group.

1. un lac, une montagne, une cascade
2. une colline, un étang, une montagne
3. un océan, un lac, une colline
4. un lac, une route, un autobus
5. une voie, un quai, une route
6. une colline, une forêt, un composteur
7. la campagne, une vallée, un voyageur
8. un château, une rivière, un océan
9. une montagne, un autobus, un océan

14A Fill in the missing labels in the image below.

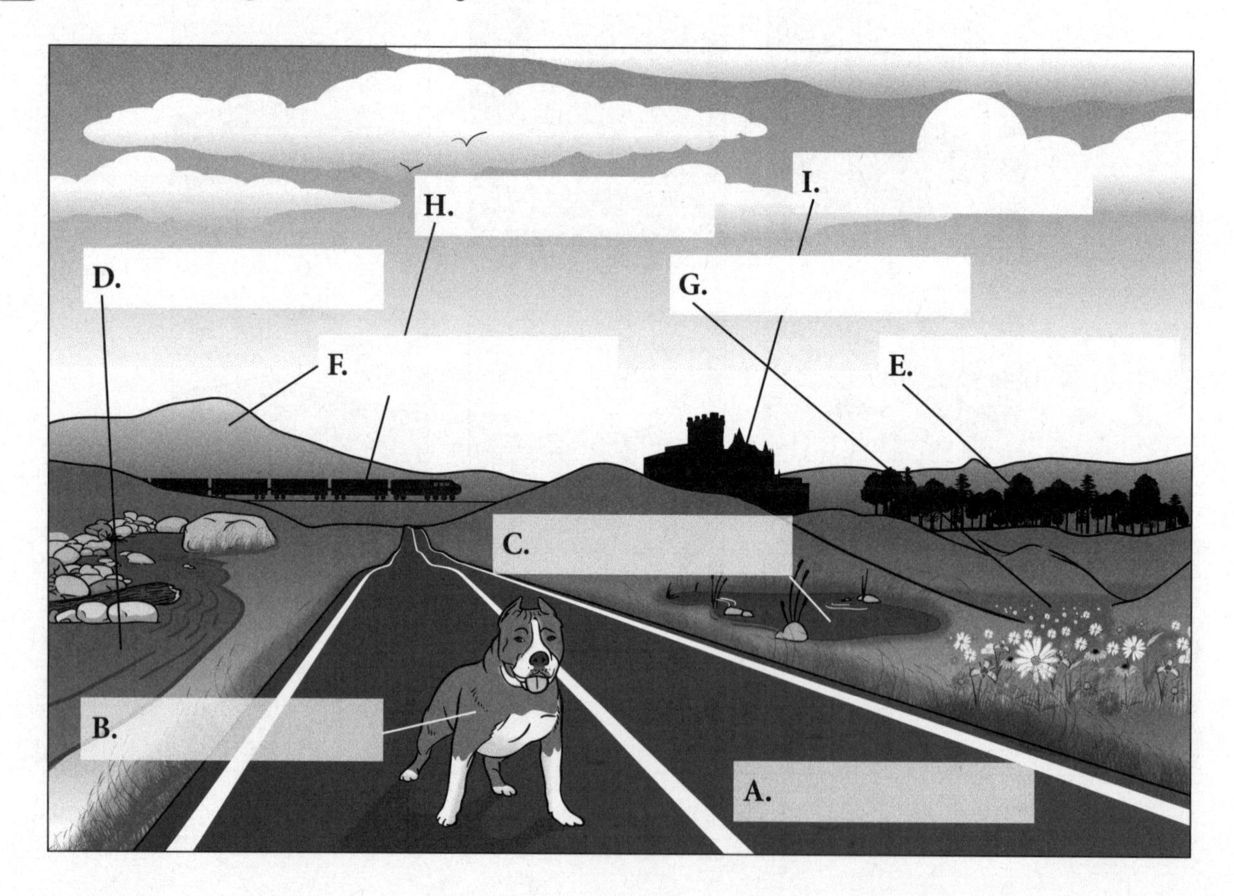

Nom: ______________________________ Date: ______________

15B Write the French word related to train travel that corresponds to each of the following clues.

1. On y va pour prendre le train. ______________________________
2. On y mange dans le train. ______________________________
3. Elle vérifie le billet. ______________________________
4. On y attend le train. ______________________________
5. On le composte. ______________________________
6. On peut y lire les heures d'arrivée et de départ. ______________________________
7. On voyage dedans. ______________________________
8. On est assis dessus. ______________________________
9. Il voyage. ______________________________

16B British Intelligence has sent you, their newly recruited James Bond 0012, an assignment. However, the message was scrambled when you received it. In order to understand your mission, you must put the following sentences in the correct order from 1–10. The first sentence has been done for you.

A. À midi, allez dans le wagon-restaurant et trouvez un homme avec un accent canadien. _______

B. Montez dans le train avec la valise. _______

C. Achetez un billet pour Genève. _______

D. Allez à la gare Saint-Lazare à Paris. **1**

E. Compostez votre billet. _______

F. Il va vous donner le reste de la mission. _______

G. Regardez le tableau des arrivées et des départs, et choisissez la première destination pour la Suisse. _______

H. Attendez le train sur le quai. _______

I. Choisissez un siège près d'une fenêtre. _______

J. Sur le quai, il y a une jeune voyageuse avec des cheveux roux. Prenez sa valise noire. _______

Nom: ______________________________ Date: ______________

17 Write a short answer for each question. Refer to the **Points de départ** in **Leçon B**.

1. À quelle époque date la création des départements français?

____

2. Quelles sont les responsabilités des départements?

____

3. Quand est-ce que les régions ont eu plus de pouvoirs?

____

4. Quelles sont les spécialités de Toulouse?

____

5. Quelle est la spécialité de Strasbourg?

____

6. Combien de départements français existe-t-il aujourd'hui?

____

7. Combien de régions de France y-a-t-il aujourd'hui?

____

Nom: ______________________________ Date: ______________

18 Write a short answer for each question about Tours and the Loire castles. Refer to the **Points de départ** in **Leçon B**.

1. Comment s'appelle l'époque de la construction des châteaux de la Loire?

   ____

2. Quel est le plus grand château?

   ____

3. Comment s'appelle le château situé sur un fleuve?

   ____

4. Combien y-a-t-il de châteaux de la Loire?

   ____

5. La ville de Tours est connue pour quoi?

   ____

6. Il y a combien d'habitants à Tours?

   ____

7. Quels écrivains ont habité à Tours?

   ____

8. Quel compositeur a habité à Tours?

   ____

9. Quels acteurs ont habité à Tours?

   ____

10. Connaissez-vous un film avec l'un de ces acteurs?

    ____

Nom: ______________________________ Date: ______________

19A Answer the following questions using one of these negative expressions: **ne... pas, ne... plus, ne... jamais, ne... personne, ne... rien.**

Modèle Tu vas toujours en vacances en hiver?
Non, je ne vais jamais en vacances en hiver.

1. Tu prends le train pour Annecy?

____

2. Ton père est toujours malade?

____

3. Vous allez souvent à la campagne, tes parents et toi?

____

4. Manges-tu quelque chose de bon dans le wagon-restaurant?

____

5. Vous rencontrez quelqu'un dans ce vieux château?

____

6. On va toujours à Tours dans deux semaines?

____

7. Tu attends toujours le train sur le quai?

____

8. Nos amis font souvent du camping dans la forêt?

____

9. Tu vois quelque chose?

____

10. Tu vas souvent faire du roller avec tes amis?

____

Nom: ______________________________ Date: ______________

20A Answer the following questions using **rien** or **personne**.

Modèle Tu vois quelque chose derrière la colline?
Non, je ne vois rien derrière la colline.

1. As-tu besoin de quelque chose pour ton anniversaire?

____

2. Tu retrouves quelqu'un au café?

____

3. Tu voyages avec quelqu'un à Paris?

____

4. On dit quelque chose au prof pour expliquer (*to explain*) notre absence?

____

5. Il y a quelqu'un dans la salle d'informatique?

____

6. Tu vois le guide, là-bas?

____

7. Tu prends un coca?

____

8. Tu chantes pour quelqu'un?

____

9. Pardon, tu penses à quoi?

____

10. Tu manges quelque chose?

____

Nom: ______________________________ Date: ______________

21A You are auditioning to play the role of a character that is always pessimistic. Using the correct negative expression, contradict the following statements to stay in character.

MODÈLE Votre maison de campagne est toujours agréable!
Ma maison de campagne n'est jamais agréable.

1. Les voyageurs sont toujours à l'heure pour le train.

____

2. Nous pouvons prendre de belles photos de l'océan en Bretagne.

____

3. Il y a quelque chose d'unique dans les montagnes du Jura.

____

4. Quelqu'un peut sauvegarder l'environnement.

____

5. Il fait souvent du soleil au printemps.

____

6. Mes grands-parents sont toujours en bonne santé.

____

7. Un voyage en train est toujours sympa.

____

8. Au château de Chambord, il y a toujours beaucoup de touristes.

____

9. Il y a quelque chose de beau dans cette forêt.

____

Nom: ______________________________ Date: ______________

22B You are enjoying a trip in Provence and writing a blog post about it. You notice that the computer has changed all your positive sentences into negative sentences. Change them back quickly so that you can publish your post!

Modèle Je ne rencontre personne qui parle anglais.
Je rencontre quelqu'un qui parle anglais.

1. Bonjour! Je ne passe pas un très bon séjour en Provence!

____

2. Ce n'est vraiment pas un lieu de vacances formidable!

____

3. Il n'y a rien à faire.

____

4. Je ne vois rien de spectaculaire tous les jours.

____

5. Je ne vais plus dans la forêt le matin parce qu'il ne fait jamais beau.

____

6. Aussi, je ne pêche jamais dans une petite rivière. Le paysage n'est pas très joli.

____

7. Je n'aime plus découvrir de cascades, parce qu'il n'y a personne pour venir avec moi.

____

8. Mon meilleur ami ne voyage plus en train, alors il n'est pas venu avec moi.

____

9. Je ne me suis pas amusée pour venir ici.

____

10. Il n'y a jamais de visite de châteaux, il n'y a personne de sympathique dans les restaurants, et il n'y a rien de bon à manger.

____

____

11. Vraiment, ce n'est pas une visite extraordinaire!

____

Nom: ______________________________ Date: ______________

Leçon C

23A Write the nationality of each of the following people, based on the cities in which they live.

MODÈLE Adèle habite à Paris.
Elle est française.

1. Jean habite à Toulouse.

 ____

2. Pierre habite à Luxembourg.

 ____

3. Joanne habite à Genève.

 ____

4. Salim habite à Berlin.

 ____

5. Monica habite à Bruxelles.

 ____

6. Stefano habite à Rome.

 ____

7. Bob habite à Manchester.

 ____

8. Karina habite à Kohln.

 ____

9. M. et Mme Vargas habitent à Barcelone.

 ____

Nom: ____________________ Date: ____________

24A Rewrite the following statements using the appropriate adjectives of nationality. Follow the **Modèle**.

Modèle J'ai vu une jolie cascade en Belgique.
J'ai vu une jolie cascade belge.

1. Je me souviens d'une vieille église en Angleterre.

   ____

2. Mon père a acheté une voiture d'Allemagne.

   ____

3. Ma mère m'a donné une recette d'Italie.

   ____

4. Les millionnaires ont des banques en Suisse.

   ____

5. Anvers est une ville de Belgique.

   ____

6. Nous avons visité une école au Luxembourg.

   ____

7. Mon copain vient d'Espagne.

   ____

8. Les meilleurs chocolats sont en Suisse.

   ____

9. Tout le monde aime le fromage de France.

   ____

Nom: ______________________________ Date: ______________

25A Complete the following sentences with the correct adjectives.

Modèle (Espagne/Luxembourg): Carlos est **espagnol**, et il a une amie **luxembourgeoise**.

1. (Allemagne, France): Michael est ______________, mais il aime la musique ______________.

2. (Italie, Angleterre): Vera est ______________, mais elle lit des romans ______________.

3. (Belgique, Espagne): Raymond est ______________, mais il aime la cuisine ______________.

4. (Suisse, Italie): Ivan est ______________, mais il aime le cinéma ______________.

5. (Allemagne, France): Eva est ______________, mais elle préfère la mode ______________.

6. (Angleterre, Suisse): Élisabeth est ______________, mais elle a une amie ______________.

7. (Belgique, Espagne): Emanuelle est ______________, mais elle adore l'art ______________.

8. (France, Luxembourg): Marie-Paule est ______________, mais elle préfère les chansons ______________.

9. (Italie, France): Les filles sont ______________, mais elles mangent des pâtes ______________.

Nom: ______________________________ Date: ______________

26A Look at the map below and say where the following places are located in relation to each other.

Modèle Où est l'hôtel de ville? (le restaurant)
L'hôtel de ville est en face du restaurant.

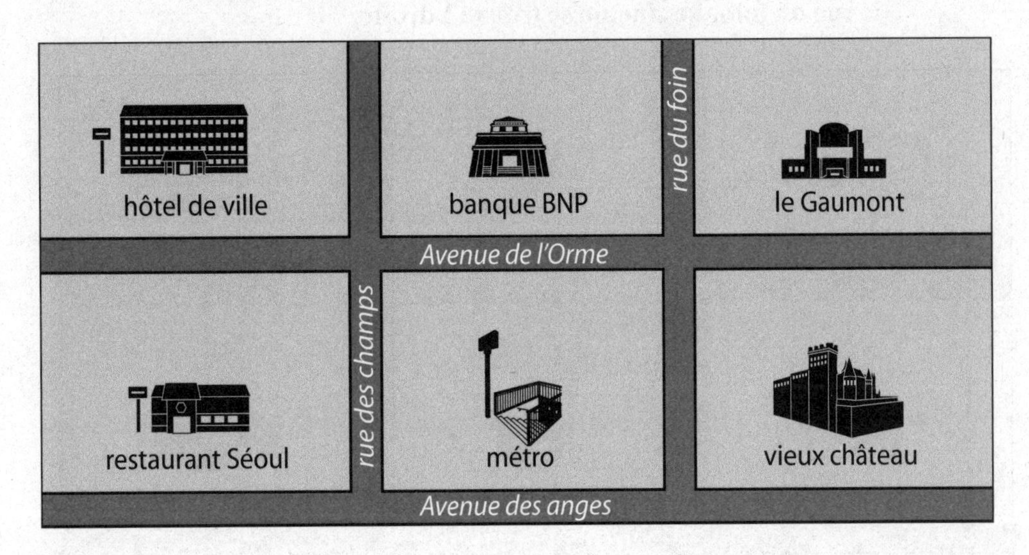

1. Où est le château? (le cinéma)

____

2. Où est la banque? (l'hôtel de ville)

____

3. Où est le métro? (le château)

____

4. Où est le restaurant? (le métro)

____

5. Où est le métro? (la banque)

____

6. Où est la banque? (l'hôtel de ville, le château)

____

7. Où est le cinéma? (le château)

____

8. Où est le restaurant? (l'hôtel de ville)

____

Nom: ______________________ Date: ____________

27B Refer to the map to give directions.

Modèle Pardon, je suis au restaurant, où se trouve le cinéma?
Allez tout droit sur l'Avenue des anges, puis tournez à gauche dans la rue du foin. Le cinéma se trouve à droite.

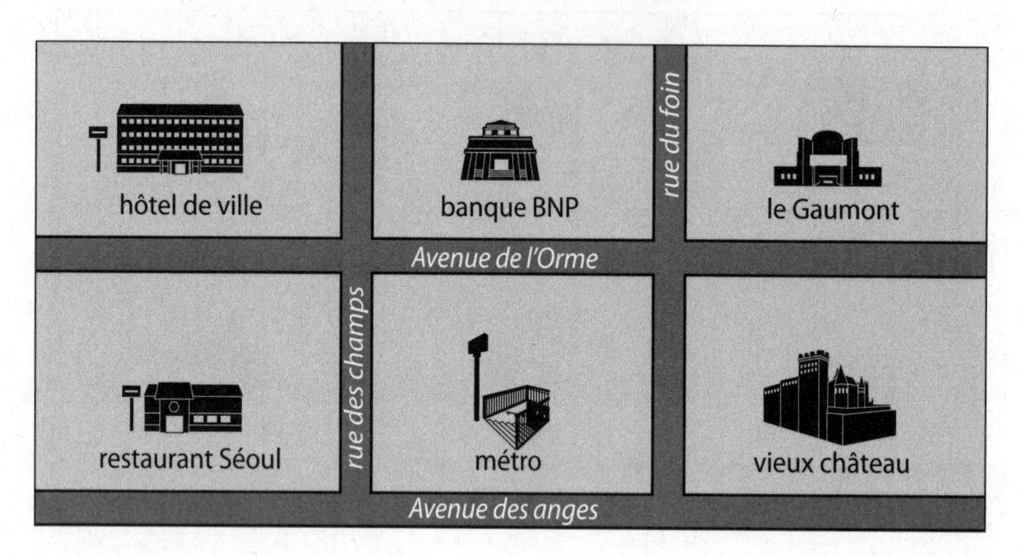

1. Excusez-moi, nous sommes devant l'hôtel de ville. Où se trouve le cinéma Gaumont?

____

____

2. Pardon, je suis à la bouche du métro. Où se trouve l'hôtel de ville?

____

____

3. Excusez-moi, je suis au restaurant Séoul. Où se trouve le vieux château?

____

____

4. Pardon, nous sommes au vieux château. Où se trouve l'hôtel de ville?

____

____

Nom: ______________________ Date: ____________

28 Write short answers for each question about Switzerland. Refer to the **Points de départ** in **Leçon C**.

1. Quelle est la capitale de la Suisse?

   ____

2. Les Suisses parlent quelles langues?

   ____

3. Quels sports peut-on faire en Suisse?

   ____

4. Qu'est-ce qu'on peut acheter comme souvenir en Suisse?

   ____

5. Comment appelle-t-on les départements en Suisse?

   ____

6. Quelle est la deuxième ville de Suisse?

   ____

7. C'est la capitale de quoi?

   ____

8. Quelles organisations internationales ont un siège (*headquarters*) à Genève?

   ____

9. Quel fleuve français traverse aussi Genève?

   ____

10. Quel est l'un des principaux attraits (*attractions*) touristiques de Genève?

    ____

Nom: ______________________________ Date: ______________

29 Answer the following questions about **la Croix-Rouge**. Refer to the **Points de départ** in **Leçon C**.

1. Comment s'appelle le fondateur de la Croix-Rouge?

   ____

2. En quelle année fondée la Croix-Rouge?

   ____

3. Quel est l'objectif de la Croix-Rouge?

   ____

4. Cette organisation emploie combien de travailleurs?

   ____

5. La Croix-Rouge intervient dans combien de pays?

   ____

Nom: ______________________________ Date: ______________

30A Answer the following questions using the appropriate superlatives.

1. Quelle est la plus belle ville de France?

____

2. Quel est le musée le plus populaire de Paris?

____

3. Quel est le footballeur le plus fort de l'équipe de France?

____

4. Quelle est la ville la plus célèbre pour le cinéma en France?

____

5. Quelle est la plus grande ville des États-Unis?

____

6. Quel est l'homme le plus riche de New York?

____

7. Quelle est la femme la plus généreuse?

____

8. Quelle est la plus mauvaise note sur vingt?

____

9. Quelle est la meilleure note sur vingt?

____

10. Quel est l'élève le plus sympa de votre classe?

____

Nom: ______________________________ Date: ______________

31B Ask questions in the superlative, using the elements provided below.

Modèles fille/bavard
Qui est la fille la plus bavarde?

le prof/grand
Qui est le plus grand prof?

1. athlète/énergique

____

2. amie/généreux

____

3. étudiant/génial

____

4. camarade/drôle

____

5. personne/blond

____

6. acteur/petit

____

7. la prof/strict

____

8. chanteuse/jeune

____

9. élève/nouveau

____

Nom: ______________________________ Date: ______________

32A Write sentences in the superlative, using **c'est** or **ce sont**.

Modèles lycée/vieux
C'est le plus vieux lycée.

boulangeries/ancien
Ce sont les boulangeries les plus anciennes.

1. film/intéressant

____

2. étudiantes/intelligent

____

3. garçons/drôle

____

4. fille/joli

____

5. teuf/génial

____

6. salle d'informatique/moderne

____

7. maison/grand

____

Nom: ____ Date: ________________

33B Write sentences in the superlative, using the following elements. Pay attention to the placement of the adjectives.

Modèles Marie Curie/intelligent
Marie Curie est la femme la plus intelligente.

la pâtisserie Bouillet/bon
La pâtisserie Bouillet est la meilleure pâtisserie.

1. Michael Jackson/bon

____

2. Zinédine Zidane/populaire

____

3. l'équipe de France/sportif

____

4. les fast-food/mauvais

____

5. les chocolats suisses/bon

____

6. les commerçants/diligent

____

7. les tartes aux poires/joli

____

8. le brie triple crème/riche

____

9. mon grand-père/vieux

____

